Anquetil; Schmidt

Die Dreh- und Rep ⸺ ...pistolen

Anquetil; Schmidt, Heinrich

Die Dreh- und Repetirpistolen

Inktank publishing, 2018

www.inktank-publishing.com

ISBN/EAN: 9783750120860

Die

Dreh- und Repetirpistolen

oder

die sogenannten Revolvers,

ihre Vergangenheit, ihre Gegenwart und Zukunft,

nebst

den allgemeinen Grundsätzen über das
Schießen mit diesen Waffen.

Ein höchst interessantes Buch für Gewehrfabricanten, Büchsenmacher, Militärs und Waffenliebhaber.

Nach dem Französischen des Herrn Anquetil

bearbeitet von

Dr. Christ. Heinr. Schmidt.

Mit 12 erläuternden Figuren.

Weimar, 1855.

Verlag, Druck und Lithographie von B. F. Voigt.

Vorwort des Bearbeiters.

Seitdem die Staaten angefangen haben, den Grundsatz anzuerkennen, daß die Armeen mit den bestmöglichen Waffen auszurüsten seien, und man bereits in Frankreich, Preußen und Oesterreich damit einen bedeutenden Anfang gemacht hat, gewinnt jede neue Erscheinung in diesem Gebiet ein besonderes und erhöhtes Interesse.

In die Reihe dieser Erscheinungen gehört nun ganz vorzüglich die Dreh- und Repetirpistole oder der sogenannte Revolver, der zuerst in Amerika sich zu verbreiten anfing, in der neuern Zeit aber auch, zumal während des Kaffernkrieges und während des jetzigen Krieges mit Rußland, in England große Verbreitung gefunden hat.

„Die englische Regierung," schreibt die Augsburger Allgemeine Zeitung in Nr. 339 vom 5. December 1854, „wird von allen Seiten gedrängt, so viele Revolvers, als irgend aufzutreiben sind, nach der Krimm zu schicken. Ein Paar solcher Drehpistolen, die sechs Schüsse nacheinander thun, kostet freilich 8 Pfund Sterlinge (feinere Arbeit noch mehr), aber die Wirksamkeit der Waffe ist glänzend erprobt. Im Nothfalle wird man die 4000 Revolvers, welche an die Mannschaften der Ostseeflotte vertheilt waren, nach der Krimm schicken."

Diese wichtige Waffe, welche 300 bis
450 Fuß Tragweite und große Einbringungs=
kraft besitzt, hat bereits von mehren Seiten her
wichtige Verbesserungen erfahren, und es wird
deßhalb deutschen Gewehrfabricanten, Büchsen=
machern, Militärs und Waffenliebhabern über=
haupt gewiß nicht unwillkommen sein, darüber
das ausführliche Urtheil eines ausgezeichneten
Gewehrkenners, des Herrn Anquetil, zu ver=
nehmen. Aus diesem Grunde schmeichelt sich
der deutsche Bearbeiter, den Wünschen der eben=
erwähnten Classen von Personen mit dieser Be=
arbeitung entgegengekommen zu sein.

Inhalt.

Ueber die Dreh= und Repetirpistolen, sogenannte Revolvers *), ihre Vergangenheit, ihre Gegenwart und ihre Zukunft.

Die ehemaligen Revolvers.

Unter der Sonne nichts Neues, wie Duttens bewiesen hat: eine große Menge von Erfindungen, welche man der neueren Zeit zuschreibt, rührt von den Alten her, und dieses ist auch hier der Fall. Schon seit beinahe 300 Jahren kennt man die Drehlinge, aus denen man mehre Schüsse nacheinander abfeuern kann, und dem ungeachtet hält man sie fast durchgehends für eine neuere Erfindung.

---

*) Die Benennung **revolver** haben wir von den Amerikanern erhalten. Sie bezeichnet eine Drehlingswaffe, oder Repetirpistole. Seiner Kürze halber ist der amerikanische Ausbruck der herrschende geworden.

Um die Richtigkeit unserer Behauptung hinsicht=
lich des Alters der Drehlingsschießgewehre zu bewei=
sen, wollen wir den Leser weder in das Artillerie=
museum in Paris, noch in den Londoner Tower,
noch in das Arsenal zu Metz, noch auch in die präch=
tige Sammlung der Porte de Hal zu Brüssel führen,
weil diese Anstalten dem Publicum kaum zugänglich
sind, sondern wir wollen bloß erwähnen, daß:

1) Herr Camps, ein ausgezeichneter Gewehr=
liebhaber in Brüssel, eine Flinte mit 5 Schüssen be=
sitzt. Diese Waffe trägt die Signatur Lehanne und
bietet das unleugbare Merkmal des Alterthums dar.
Sie soll aus dem Jahr 1600 oder ungefähr aus
dieser Zeit herrühren.

Dieses Schießgewehr hat nur einen einzigen
Lauf. Derselbe ist unbeweglich, wie auch die Schäf=
tung. Zwischen dem Kolben und dem Laufe bemerkt
man einen Bündel von fünf kleinen aneinander ge=
lötheten Röhren. Dieses Bündel ist beweglich und
dreht sich wie eine Trommel. Die fünf Rohre sind
und werden eins nach dem andern ebenso viele Pul=
versäcke für den eigentlichen Lauf. Sie werden ein=
zeln geladen, können aber alle fünf sogleich, einer
nach dem andern, geladen werden, indem während
der Umdrehung des Cylinders oder der Trommel
die Mündung jedes Rohres successiv entblößt wird.

An dem Gewehr befindet sich nur ein einziger
Mechanismus. Die Batterie sitzt in der Schäftung
und ebenso auch der einzige Hahn, nichtsdestowe=
niger ist jedes Rohr mit einer besondern Pfanne und
Pfannendeckel versehen, so daß, sobald eins der klei=
nen Rohre während der Drehung an das Ende des
großen Laufes gelangt, die Pfanne desselben der
Einwirkung des Hahnes unterliegt.

Dieses Schießgewehr ist einer nähern Untersu=
chung werth.

2) Der Antiquar Leroy, welcher ebenfalls in
Brüssel in der rue des Finances wohnt, besitzt ein
Schießgewehr, welches hinsichtlich seiner drehbaren
Einrichtung mit dem vorhergehenden große Aehnlichkeit hat.

Dieses Schießgewehr ist auch mit einer Trommel versehen und für fünf Schüsse eingerichtet, hat
aber keine Pfanne. Jedes der fünf kleinen Rohre
ist nämlich mit einem ausgehöhlten Zündloche versehen, welches die Stelle der Pfanne vertritt, und
diese Höhlung, im Fleische des Pulversacks angebracht,
wird bedeckt von einer beweglichen Metallscheibe,
welche den Pfannendeckel ersetzt. Indem der Hahn
niederschlägt, wirkt er auf einen Federstift, welcher
die Metallplatte in einem doppelten Falze fortschiebt,
so daß das Zündpulver der Pfanne den Funken auffängt, welcher durch die Reibung des Flintensteins
im Hahne an dem verstählten Pfannendeckel erzeugt wird.

Diese merkwürdige Flinte trägt die Jahreszahl
1632 und ist mit einer Lilie zwischen zwei H gestempelt.
Den Namen des Büchsenmachers oder Fabricanten, dem
dieses Zeichen angehört, aufzufinden, war uns nicht
möglich.

Somit hätten wir denn den Beweis geliefert,
daß die Drehlingsschießgewehre keine Erfindung der
neueren Zeit sind, und wollen nun noch Einiges über
die Vervollkommnungen bemerken, die man an ihnen
angebracht hat, seit sie allgemeiner bekannt geworden
sind, d. h. seit 25 bis 30 Jahren.

Es versteht sich von selbst, daß wir uns nicht
mehr mit den in früherer Zeit gemachten Versuchen
beschäftigen.

Die Doppelflinte war schon an und für sich
schwer genug, und deßhalb sah man die Nothwen

1 *

digkeit ein, daß man die Dreblingseinrichtung mit mehren aufeinander folgenden Schüssen an leichtern Gewehren von kleinern Dimensionen anbringen müsse, und so kam man auf den Gedanken, diese Einrichtung bei den Pistolen in Anwendung zu bringen.

Die Schießgewehre mit drehbarem Cylinder schienen bereits ganz in Vergessenheit gerathen zu sein, als vor ungefähr dreißig Jahren ein Pariser Büchsenmacher, Namens Lenormand, eine Pistole mit 5 Schüssen verfertigte. Diese Pistole besaß nur einen einzigen Lauf, war versehen mit einer Trommel mit fünf Röhren und gestattete eine ununterbrochene Drehung, so daß man nicht nach jedem Schusse den Hahn zu spannen nöthig hatte. Diese Waffe bot übrigens große Uebelstände dar: ihr Mechanismus war sehr complicirt und nutzte sich leicht ab; außerdem wirkte das Spiel der Batterie, welche ruckweise in Thätigkeit trat, nachtheilig auf die Richtigkeit des Schießens, indem sie eine unregelmäßige Erschütterung der Waffe hervorbrachte, die sich zugleich der Hand des Schützen mittheilte. Die Einrichtung des Herrn Lenormand fand keinen Beifall.

Dasselbe Schicksal hatte ein Revolver mit sieben Schüssen von der Erfindung eines gewissen Devisme.

Kurze Zeit darauf fertigte Herrmann zu Lüttich auch eine Repetirpistole, welche dem äußeren Aussehen nach die einfachste und geschmackvollste unter allen uns bekannten war. Diese Pistole gewährte die größte Bequemlichkeit in der Handhabung und bei'm Schießen, so daß in dieser Beziehung Nichts zu wünschen übrig blieb; leider besaß indessen ihre Einrichtung auffallende Mängel, die jedoch leicht zu beseitigen gewesen wären. Herrmann ließ indessen seine Erfindung untergehen, ohne nur den Versuch gemacht zu haben, sie zu verbessern.

So hatte z. B. Herrmann

1) am höchsten Puncte des Pulversacks eine Schraube mit Einschnitt angebracht, deren Hauptzweck darin bestand, die Trommel festzuhalten. Diese Schraube hatte noch einen andern Zweck, nämlich den, als Visir zu dienen. Nun war sie mit so geringer Genauigkeit eingesetzt, so daß das Visir, wie es zuweilen der Fall war, ganz in die Quere stand.

2) Unter dem Laufe, gegen sein hinteres Ende hin, zwei oder drei Millimeter von der Mündung der Pulverkammern der Trommel, war ein halbkreisförmiges eisernes Band angebracht, eine Art von Mantel, dessen Zweck man in der That nicht begreift. Dieses Band verhinderte nun, die verschiedenen Röhren zu laden, sobald man die Waffe nicht ganz auseinander nahm. Man mußte also die Visirschraube lösen, den Lauf herausnehmen, ebenso auch die Trommel, ehe man zum Laden der einzelnen Röhren schreiten konnte, was im Felde vor dem Feinde, oder im Augenblicke der Gefahr ganz unausführbar war.

3) Endlich waren die Zündlöcher des Cylinders so wenig gedeckt, daß die Explosion eines Zündhütchens häufig diejenige mehrer andern herbeiführen konnte.

Etwas später trat die Pistole von Le Mariette auf. Diese unterscheidet sich von den vorhergehenden dadurch, daß sie, statt einer drehbaren Trommel, mit einem Bündel von Läufen ausgestattet ist, die untereinander durch eine massive Schwanzschraube verbunden sind, in welche ebenso viel Pulverkammern gebohrt sind, als Läufe vorhanden waren. Die Zahl der Läufe variirt von vier bis vierundzwanzig. Jeder Lauf wird auf eine der Kammern der Schwanzschraube eingeschraubt, wodurch man erreicht, daß die Kugel in die Züge des Laufes sich einsetzt. Für den Zweck des Ladens muß das Gewehr mit Hülfe einer Kugelform, deren einer Schenkel so gestaltet ist, daß er scharf in die Mündung der Läufe paßt, aufgeschraubt werden. Jede Kammer der drehbaren Schwanzschraube trägt an ihrer hintern Seite einen gut versenkten Zündstift, der sich der Wirkung eines unter der Batterie thätigen Hammers und Stellvertreters des Hahnes darbietet.

Die Pistole von Le Mariette ist, gleich derjenigen von Herrmann, mit ununterbrochener Drehung ausgestattet, d. h., man hat nicht nöthig, nach jedem Schusse den Hahn wieder aufzuziehen, indem die Nuß weder Ruhrast, noch Spannrast besitzt, sondern bloß diejenige Rast, aus welcher sie augenblicklich heraustreten kann. Sobald der Druck des Fingers auf den Abzug wirkt, bewegt sich die massive Schwanzschraube und das Bündel von Läufen, indem jeder Lauf successiv sich genau dem Hammer gegenüberstellt und hier durch eine Sperrung bis zum Augenblicke des Abdrückens festgehalten wird. Die Schäftung oder der Griff ist übrigens demjenigen gewöhnlicher Pistolen ähnlich. Der Abzug besitzt an seinem äußern Theile die Gestalt eines Ringes, in welchen der Zeigefinger eingreift. Die massive Schwanzschraube bewegt sich auf einer Achse, deren anderes Ende im Mittelpuncte des Schloßbleches seine Unterstützung findet. Das Schloßblech ist in die hölzerne Schäftung eingelassen, gleichsam, als sei es eine Verlängerung des Griffes. Endlich setzt sich die Achse durch das Bündel der Läufe hindurch fort und endet in eine Spitze, die man im Nothfall als Dolch oder als Bajonett benutzen kann.

Wegen der Zahl ihrer Läufe und wegen ihres deßhalb verhältnißmäßigen Gewichtes kann die Pistole von Le Mariette höchstens als Taschenpistole

benutzt werden. Anderntheils bewirkt die ununterbrochene Drehung der Läufe, die dem Visiren äußerst
nachtheilig ist, und die Erschütterung, welche durch
ihren Mechanismus hervorgebracht wird, daß man
von ihr nur ganz in der Nähe Gebrauch machen
kann. Da also diese Waffe einen sehr unsicheren
Schuß gewährt, so ist ihr Nutzen sehr zweifelhaft,
ausgenommen in einem Kampfe Mann gegen Mann.

Unter den unzähligen Varietäten von Drehpistolen, die uns in die Hände gekommen sind, erwähnen wir auch noch derjenigen von Rissac. Diese
Pistole fällt, gleich derjenigen Herrmann's, durch
ihre zierliche Form ins Auge. Sie ist mit einer
Trommel und nur einem einzigen Laufe versehen.
Ihre Drehung ist ununterbrochen und der Hammer
schlägt, ganz im Gegensatze desjenigen an Le Mariette's Pistole, von Oben auf den Cylinder, aber
der Gang seines Mechanismus ist von ganz außerordentlicher Härte. In Folge dieser Einrichtung ist
die Erschütterung und die Schwierigkeit des Schießens so groß, daß eine solche Waffe nicht den geringsten Nutzen gewährt.

Nun kommen wir endlich zu dem berühmten
Revolver des Herrn Colt, dieser Pistole, die in
Europa und in Amerika seit fünf oder sechs Jahren
so viel Aufsehen gemacht hat.

Die gegenwärtigen Drehpistolen oder Revolvers.

Der Revolver des Herrn Colt (Fig. 1.)

Folgendes ist die Benennung der Haupttheile
dieser so gepriesenen Waffe und die Art und Weise,
in welcher sie thätig sind.

1) Der Lauf. Dieser Lauf ist aus geschmiedetem Eisen und manchmal aus Gußstahl. Er hat

Züge. Diese Züge, an der Zahl sieben, bilden einen Drall in ungefähr zwei Meter Länge.

Der Lauf hat zwei Mündungen, aber keine Schwanzschraube. Unter dem Korn und in der Nähe der vordern Mündung ist er mit einem Haken versehen, dazu dienend, einen Hebel zu halten, von welchem weiter unten die Rede sein wird. An seinem hintern Ende, einige Centimeter von der zweiten Mündung, bekommt er in verticaler Richtung eine flache, massive eigenthümliche Ausbreitung, so daß die Substanz des Laufes zum Theil cylindrisch und zum Theil von unregelmäßiger Gestalt ist.

Vor dieser unregelmäßigen Verlängerung hat man ein Lager für das Spiel des Hebels angebracht. Am untern Theil der Laufmasse findet sich ein Canal zur Aufnahme des Ladestocks und hinten ein hinlänglich großes Loch, in welches ein Zapfen der Achse eintritt.

Durch den massiven Theil in der Richtung der flachen Portion nimmt eine Schraube und ein Schieber seinen Weg. Der Kopf der Schraube und der Splint des Schiebers sind auf der linken Seite befestigt. Die Schraube hält den Hebel am massiven Theile fest und dient ihm zum Unterstützungspuncte in seiner drehenden Bewegung. Der Splint oder Schließkeil dient dazu, den massiven Theil des Laufes an seiner Stelle festzuhalten, wenn er sich auf der Spindel der Achse befindet.

Wenn der Lauf seine Stelle eingenommen hat, legt sich die hintere Oeffnung mit Reibung gegen die Ebene der Trommel, in welcher die Oeffnungen der Röhren oder Kammern angebracht sind, und der untere Theil der massiven Masse liegt dicht an dem vordern Ende des Schloßbleches.

2) Die Achse. Dieses Stück ist ein massiver Cylinder oder Spindel aus Schmiedeeisen und auf ihm bewegt sich der Drehapparat.

Sein vorderes Ende tritt in den massiven Theil des Laufes ein; es wird durchsetzt von einem Schieber, welcher demjenigen des massiven Theiles entspricht, so daß der Schließkeil dieses doppelten Schiebers nothwendig den massiven Theil an die Achse schließt.

Das hintere Ende der Achse ist in den Mittelpunct eines halbkugelförmigen massiven Stücks geschraubt, welches zum Schloßblech gehört. Größerer Sicherheit halber hat man diese beiden Stücke mittelst einer kleinen Schraube, die nur erst sichtbar wird, wenn der ganze Apparat zerlegt ist, befestigen zu müssen geglaubt.

Diejenige Portion der Achse, auf welcher sich die Trommel dreht, trägt eine Reihenfolge kreisförmiger Einschnitte in Gestalt eines Schraubenganges von geringer Tiefe, damit das Oel an diesem Theile, der einer beständigen Reibung ausgesetzt ist, besser verweilen könne.

3) Der sich drehende Cylinder oder die Trommel. Dieser Cylinder besteht aus einem massiven Stück Schmiedeeisen und manchmal aus Gußstahl, in welches die Kammern oder Röhren gebohrt sind, welche die Ladungen aufnehmen und dem Laufe als Pulversack, wie auch als Schwanzschraube dienen sollen.

Im Mittelpuncte dieses massiven Stücks befindet sich in der Richtung seiner Länge, d. h. in der Richtung der Achse des Cylinders oder der Trommel, ein Canal, in welchen die Achse eintritt. Da der Durchmesser der Achsenspindel ein Wenig geringer ist, als derjenige des Canals, so kann sich die Trommel leicht um die Spindel bewegen. In Folge einer

gewiſſen Einrichtung, die für den Gang des Appa=
rats angebracht iſt, bewegt ſich indeſſen die Trommel
nur erſt dann, wenn man den Hahn in die erſte Raſt
der Nuß erhebt, d. h., wenn der Hahn weder auf
den Zündkegeln, noch auf den Puncten ſich befindet,
welche hinter der Trommel angebracht ſind.

Während der Umdrehung der Trommel gelangt
jede Kammer ſucceſſiv mit ihrer Mündung auf die
hintere Oeffnung des Laufes, und der Schuß geht in
dem Augenblick los, wo die Seelen der beiden ſo
vereinigten Röhren miteinander eine gleiche Achſe
erlangt haben.

Hinten, d. h. an der Stelle, welche die Schwanz=
ſchraube bildet, iſt die Trommel in vertiefte und in
hervorragende Stellen ausgeſchnitten.

Die Zündkegel treffen auf die ausgeſchnittenen
Stellen in der Richtung der Achſe des Apparats und
ſind genau in die Kammern verſenkt.

Die hervorragenden Theile ſollen verhindern,
daß das Feuer der Zündhütchen ſich von einem
Zündkegel dem andern mittheile. Außerdem iſt jeder
derſelben noch mit einer kleinen, zwiſchenliegenden
Spitze verſehen, auf welche man den Hahn nieder=
läßt, um die Waffe, wenn ſie geladen iſt, ohne Ge=
fahr tragen zu können, was unendlich beſſer iſt, als
den Hahn auf dem Zündhütchen aufruhen zu laſſen.

Auf der Fläche des hintern Durchſchnitts der
Trommel und um die ganze Mündung des Canals
herum, in welchen die Spindel der Achſe eintritt,
hat man in der Maſſe der Metallſubſtanz eine eigen=
thümliche Verzahnung angebracht, um die Drehung
der Trommel zu erlangen.

Endlich trägt der Cylinder oder die Trommel
auf ihrer Oberfläche ſechs im Kreis angebrachte Ein=
ſchnitte und in gleichen Abſtänden voneinander, be=
ren Zweck weiter Unten erklärt werden ſoll.

4) Das Schloßblech. Dieses Schloßblech
besitzt eine merkwürdig unregelmäßige Gestalt. Es
zerfällt in zwei Theile, die jedoch ein Ganzes bilden,
in einen ebenen Theil und in eine halbkugelförmige
Masse von ziemlich gleichem Durchmesser mit demjenigen der Trommel und von gleicher Achse mit derselben.

Der ebene Theil liegt unter dem Cylinder. Er
ist massiv und bietet zwei Seitenflächen dar, welche
auch diejenigen der Waffe sind. Sein vorderer Theil
verbindet sich mittelst zweier Bolzen mit dem hintern
Theile der massiven Masse, an welcher der Lauf an-
liegt, und der hintere Theil desselben legt sich an die
Schäftung.

Auf der linken Seite gewahrt man drei Schrauben, welche den ebenen Theil durchsetzen; die eine
hält den Hahn, die andere den Abzug, und die dritte
eine Vorragung, von welcher weiter unten die Rede
sein wird.

Der halbkugelförmige Theil hängt, wie wir gesagt haben, mit dem ebenen Theile des Schloßbleches zusammen und dient, die Lage der Achsenspindel
zu bestimmen.

Dieser massive Theil liegt am hintern Theile
der Trommel. Sein ebener Durchschnitt läuft parallel mit der Schwanzschraube der Trommel und
liegt derselben gegenüber, indem er von ihr nur
durch den Raum von ungefähr ¼ Millimeter ge-
trennt ist.

An der rechten Seite des massiven Theiles hat
man einen muschelförmigen Ausschnitt angebracht,
um das Aufsetzen der Zündhütchen zu erleichtern.

Endlich ist der massive Theil vertical, in der
Richtung der Axe des Apparates, mit einem Einschnitte versehen, in welchem der Hahn liegt, wenn
er sich in Ruhe befindet, und in welchen er nach

dem Abdrücken niederfällt. Es ist also begreiflich,
daß während der Drehung der Trommel jeder Zündkegel sich der Reihe nach dem Ausschnitte gegenüber
stellen muß, von welchem wir so eben gesprochen
haben.

5) Der Gelenkhebel. Der Hebel ist ein beweglicher Stab, ebenfalls aus Eisen, und hat die
Bestimmung, den Ladestock in Wirksamkeit zu setzen.

Dieser Stab trägt an seinem vorderen Theile
eine kleine Feder, in welche die Vorragung, die am
Ende des Laufes befestigt ist, eingreift, wodurch er
neben dem Laufe erhalten wird.

Der hintere Theil des Hebels liegt, wie schon
bemerkt worden ist, in dem massiven Theile des
Laufes und befindet sich hier auch durch eine Schraube
befestigt, ohne daß diese Einrichtung seiner Bewegung hinderlich wäre.

Der hintere Theil des Hebels läuft in eine sich
ausbreitende Verlängerung aus, in welcher immer
in der Axenrichtung des Apparates ein Ausschnitt
angebracht ist, der dazu dient, das eine Ende des
Ladestockes aufzunehmen.

Der Stab und der Ladestock sind miteinander
durch eine Schraube verbunden, und an dieser Ver-
bindungsstelle äußert sich die Wirkung des Hebels.

6) Der Ladestock. Derselbe ist aus Schmiedeeisen und sitzt in einem Canale, welcher den massiven Theil des Laufes durchsetzt; da aber dieses Loch
einerseits genau der Stelle gegenüber liegt, welche
successiv die Mündung jeder Kammer während der
Umdrehung der Trommel einnimmt, und da andererseits der Ladestock der Wirkung des beweglichen Hebels unterliegt, so begreift man, daß der
Ladestock bei dieser Einrichtung im Stande ist, sobald man den Hebel von seinem Vorstande oder
Widerhalter ausgelös't und in Thätigkeit versetzt hat,

das Eintreiben der Kugel in jede Röhre der dreh=
baren Trommel zu bewirken.

7) Die Batterie. Dieselbe äußert ihre Thä=
tigkeit unter und hinter dem Apparate, indem sie
zugleich in dem ebenen Theile des Schloßbleches, in
der halbkugelförmigen Masse und in dem Ausschnitte
des Griffes spielt.

Die Batterie besteht aus einer Schlagfeder, ei=
nem Hahn, einer Stangenfeder, einem Hebel, einem
Abzug und einem Widerhalter.

Die Schlagfeder ist fast gerade und liegt in der
Schäftung. Sie ist am Ende des Schloßbleches mit
einem Stücke des Beschläges verbunden, dessen Ver=
längerung den Bügel bildet. Ihre Communication
mit dem Hahn wird vermittelt durch ein Rädchen,
hinter diesem Stücke gelegen. Der Zweck dieser Ein=
richtung ist darauf berechnet, das Spiel der Batterie
empfindlicher und freier zu machen und zu gleicher
Zeit die Kraft des Schlages zu vermehren.

Der Hahn bildet die Nuß und ist für diesen
Zweck mit zwei Rasten versehen, der sogenannten
Ruhrast oder Vorderrast und der Spannrast. An
seinem äußeren Theile besitzt der Hahn die Gestalt
eines Kreisbogens. Dabei hat er einen Kamm, gegen
welchen sich beim Spannen der Finger legt; auch
trägt er an seinem oberen Theile einen schwachen
Einschnitt, der zum Visiren benutzt wird, wenn der
Hahn ganz aufgezogen ist. Endlich hat man unter
dem Kopfe oder unter dem Hammer des Hahnes
einen anderen kleinen Einschnitt angebracht, der die
verschiedenen warzenförmig erhöhten Puncte aufneh=
men soll, wenn sich der Hahn in Ruhe und die
Zündhütchen auf dem Zündkegel befinden.

Die Stangenfeder hat zwei Schenkel: der eine
zieht den Abzug in die Rasten der Nuß; der andere
wirkt auf den Hebel der Batterie.

Der Batteriehebel spielt in dem Ausschnitte der halbkugelförmigen Masse. Seine Wirkung äußert sich auf die am Hintertheile der sich drehenden Trommel angebrachte Verzahnung und bewirkt die Umdrehung des Apparates.

Der Abzug ist beinahe gerade. Er bildet die Stange, ersetzt dieselbe und wirkt auf die Stangenfeder, wie auf den Widerhalter.

Der Widerhalter ist ein kleines Stück, welches unter der Trommel seinen Sitz hat. Seine Wichtigkeit ist größer, als man auf den ersten Blick glauben sollte. Er hat die Bestimmung, sich in die Einschnitte zu setzen, welche auf dem Umfange der sich drehenden Trommel angebracht sind, so daß er verhindert, daß letztere jedesmal mehr als ein Sechstheil Umdrehung mache. Dadurch erhält er aber auch die Bestimmung, successiv eine vollständige Coordination zwischen jeder Röhre der Trommel und dem Laufe zu bewirken.

8) Das Beschläge. Das Beschläge ist nichts als ein metallener Streifen, bald aus Messing, bald aus Neusilber, bald aus mittelst der galvanischen Batterie versilbertem Kupfer bestehend, der, in zwei Theile getheilt, in die Schäftung eingelassen ist und dieselbe nach dem Verticaldurchschnitt umgiebt. Die beiden Theile des Streifens vereinigen sich am unteren Ende des Kolbens; sie verbinden sich beide mit dem Schloßblech und dienen dazu, indem sie den Griff der Pistole gewissermaßen umgeben, demselben größere Festigkeit zu verleihen.

Der obere Streifen ist mit zwei Schrauben neben dem Hahn am Schloßbleche befestigt und bleibt in der Schäftung bis auf ungefähr einen Centimeter jenseits des Endes des Kolbens.

Der untere Streifen liegt neben dem vorhergehenden; an dem Verbindungspuncte ist er durch eine kleine Schraube im Holze befeſtigt, alsdann wendet er ſich um das Holz der Schäftung herum bis zum Anfange des Schloßbleches. An dieſer Stelle enthält er zwei Schrauben, die ihn mit dem Schloßbleche vereinigen. Ferner läuft er unter das Schloßblech und bildet den ſogenannten Handbügel mittelſt eines Vereinigungszweiges; endlich läuft er an das vordere und untere Ende des Schloßbleches und iſt hier mittelſt einer letzten Schraube befeſtigt.

9) Die Schäftung. Dieſelbe bildet den Kolben und Griff. Sie hat keinen Schaft und legt ſich nur an den hinteren Theil des Schloßbleches. Wir haben eben das Beſchläge derſelben erläutert und wollen noch hinzufügen, daß der Griff inwendig ausgeſchnitten iſt, ſo daß die Schlagfeder darin liegen kann.

Bei dem Revolver des Herrn Colt kann man eben ſo gut runde Kugeln, wie Spitzkugeln anwenden.

Es giebt fünf Größen oder Nummern dieſes Revolvers.

Nummer 1, die Sattelpiſtole oder Cavaleriepiſtole mit 6 Schüſſen. Der Lauf dieſer Nummer hat eine Länge von 7½ Zoll. Ihr Caliber ſind 32 Spitzkugeln oder 48 runde Kugeln auf das Pfund. Das Gewicht der ganzen Waffe beträgt geladen ungefähr 4½ Pfund.

Nummer 2, die Gürtelpiſtole für Infanterie und Matroſen, mit 6 Schüſſen. Der Lauf hat eine Länge von 7½ Zoll; das Caliber ſind 60 gemiſchte Kugeln auf das Pfund, und ihr Gewicht beträgt nahe an 3 Pfund.

Nummer 3, die Gürtelpiſtole, von noch etwas kleineren Dimenſionen, mit 5 Schüſſen. Der Lauf hat eine Länge von 6 Zollen; das Caliber sind 112 gemischte Kugeln auf das Pfund; das Gewicht beträgt 2 Pfund.

Nummer 4, Taschenpistole, mit 5 Schüssen. Der Lauf hat eine Länge von 5 Zollen; das Caliber sind 112 gemischte Kugeln auf das Pfund; das Gewicht bezrägt beinahe 2 Pfund.

Nummer 5, Taschenpistole, von etwas kleineren Dimensionen, mit 5 Schüssen. Die Länge des Laufes sind 4 Zoll; das Caliber 112 gemischte Kugeln auf das Pfund; das Gewicht beträgt 1⅜ Pfd.

Die Pulverquantitäten, welche bei diesen verschiedenen Pistolen-Nummern in Anwendung kommen, sind nachstehende:

für die Cavaleriepistole Nummer 1: 2 Grammen 25 Centigrammen bis 2 Grammen 70 Centigrammen;

für die Gürtelpistole Nummer 2 und 3: 1 Gramme 25 Centigrammen bis 1 Gramme 80 Centigrammen;

für die Taschenpistole Nummer 4 und 5: 70 Centigramme bis 1 Gramme 15 Centigrammen.

Wenn das Pulver nicht von vorzüglicher Qualität ist, so kann man diese Ladungssätze ein Wenig vermehren, und sollte es zufällig von ganz geringer Qualität sein, so müßte man in die Kammern so viel Pulver schütten, als sie aufzunehmen vermögen, wobei jedoch immer hinlänglicher Raum für die Kugel bleiben muß.

Das Laden. — Nachdem man jeden Zündkegel ausgeflammt hat, d. h., nachdem man ein Zündhütchen auf jedem derselben abgebrannt hat, um das Oel, den Staub, oder die Rückstände zu beseitigen, die darin sitzen könnten, bringt man den Hahn in die Ruhrast, wodurch die Trommel sich drehen kann, schüttet die angemessene Ladung Pulver in die Kammern und setzt die Kugeln ohne Pfropf auf das Pulver; man läßt die Trommel sich drehen, treibt succeſſiv die Kugeln mit Hülfe des Hebels und des Ladeſtockes in ihre Sitze und ſetzt die Zündhüt= chen auf die Zündkegel.

Spannt man nun den Hahn, so iſt die Waffe zum Abfeuern bereit. Für dieſen Zweck braucht man nur einen ſchwachen Druck mit dem Zeigefinger auf den Abzug auszuüben, darf aber nicht vergeſſen, daß man bei jedem Schuſſe den Hahn zuvor ſpaunen muß.

Um die geladene Waffe ohne Gefahr zu tra= gen, läßt man den Hahn auf eine der Spitzen nie= der, die an dem dicken Theile der Schwanzschraube angebracht ſind.

Nachdem man die Waffe abgefeuert hat, muß man ſie reinigen und einölen, beſonders die Achse, auf welcher ſich die Trommel bewegt.

Zu den Kugeln muß man weiches Blei nehmen und dieſelben mit Vorſicht und auf eine regelmä= ßige Weiſe in die Kammern treiben, damit ſie nicht zu ſehr ihre Geſtalt verlieren und bei'm Austritt aus den Kammern leicht in den Lauf übergehen.

Das Reinigen. — Nachdem man den Hahn in die Ruhraſt gebracht hat, nimmt man den flachen Splint heraus, d. h. denjenigen Schließkeil des Schiebers, welcher den maſſiven Theil des Laufes, wie auch die drehbare Trommel auf der Achse be= feſtiget, und man nimmt dann succeſſiv dieſe beiden letzteren Stücke heraus. Wenn der Lauf an der Achsenspindel feſtſitzen ſollte, so bedient man ſich des Hahnes, um ihn zu löſen, und zwar indem man einen Druck mittelſt des Ladeſtockes gegen den vollen Theil der Trommel ausübt. Man wäscht ſodann die Trommel und den Lauf mit warmem Waſſer aus, trocknet ſie ab und ölt dieſelben, wie auch die Achse, mit gutem Oele ein, reiniget auch sorgfältig die Zündkegel mit der fetten Bürste.

Das Abnehmen der Batterie. — Diese Operation darf nur dann vorgenommen werden, wenn es unerläßlich nöthig ist, und dann kann man dabei nicht zu große Vorsicht anwenden.

Wir nehmen an, daß der Lauf und die drehbare Trommel bereits abgenommen sind, worauf man

1) das obere messingene Band des Beschläges abnimmt, indem man die beiden Schrauben löst, welche dasselbe an dem hinteren Theile des Schloßbleches neben dem halbkugelförmigen massiven Theile befestigen;

2) das untere Band abnimmt, indem man die Schraube am unteren Ende des Kolbens löst, wie auch die drei Schrauben, welche den Handbügel mit dem Schloßbleche verbinden, und indem man die Schäftung von ihrem Beschläge befreit.

3) Nachdem die Schlagfeder sodann aus ihrem Sitze in der hölzernen Schäftung herausgenommen ist, löst man die Schraube, welche sie an den hinteren Theil des messingenen Bandes befestiget, welches den Bügel bildet.

4) Man löst die Schraube der Stangenfeder und nimmt letztere heraus.

5) Man schraubt die drei seitlichen Schraubenstifte heraus, welche den Hahn, den Abzug und den Widerhalter an ihrer Stelle erhalten und nimmt diese drei Stücke aus dem Schloßbleche heraus.

6) Man schraubt den Hebel der Verzahnung los und nimmt ihn aus dem Ausschnitt heraus, welcher in der halbkugelförmigen Masse des Schloßbleches angebracht ist.

Das Zusammensetzen der verschiedenen Stücke, aus denen die ganze Batterie bestehet, erheischt sehr große Sorgfalt und selbst eine gewisse Geschicklichkeit. Man nimmt diese Operation in der umgekehrten Ordnung vor, welche bei'm Zerlegen Statt findet.

Nähere Prüfung. — Die Wahrheit hat in unseren Augen den Hauptwerth, und wenn wir nun bei der genauen Untersuchung des Revolver's des Herrn Colt manchmal eine Sprache vernehmen lassen, welche dieser Pistole wenig günstig ist, oder wenn wir mit dem Lobe, welches wir derselben zu ertheilen haben, auch scharfen Tadel verbinden, so ersuchen wir den Leser, unsere Aufrichtigkeit keinen Augenblick in Zweifel zu ziehen. Unsere Pflicht ist es, das Publicum aufzuklären, und wir schrecken vor dieser schwierigen Aufgabe keinen Augenblick zurück, selbst wenn wir genöthigt sein sollten, die Eigenliebe oder das Interesse von Personen unzart zu berühren, welche sich mit der Verfertigung dieser Waffe beschäftigen.

So wie sie vorliegt, hat die Pistole des Herrn Colt die drehbaren Schießgewehre einen starken Schritt weiter vorwärts gebracht. Wir wollen damit nicht sagen, daß sie ganz vollkommen sei, denn daran fehlt noch viel, und wir wollen sogleich den Beweis liefern; aber wir gestehen es, daß sie unendlich besser ist, als die Waffen dieser Art, welche bis jetzt gefertigt wurden. Ihr Mechanismus z. B. ist zuverlässiger, kommt nicht so leicht in Unordnung; das Spiel ihrer Batterie ist sanfter, geschmeidiger; das Schießen damit gehet regelmäßiger und genauer von Statten, dabei trägt der Schuß weiter und dringt kräftiger ein; die ganze Waffe ist geeigneter für den täglichen Gebrauch; mit einem Worte, diese Pistole kann, ungeachtet der vielen Mängel, die wir sogleich namhaft machen wollen, in der That Dienste leisten, die man von den älteren Waffen derselben Familie vergeblich verlangt haben würde.

2 *

Wenn man mit unparteiischem Auge die Ausbildung einer Erfindung aus dem Standpuncte ihrer industriellen Resultate betrachtet, so wird man häufig schmerzhaft ergriffen, wenn man wahrnimmt, wie selbst die besten Männer geneigt sind, Charlatanerie zu treiben oder treiben zu lassen. Ehe Herr Colt seinen Revolver erfunden hatte, besaß er schon Vermögen; er war Obrist im Dienste der vereinigten amerikanischen Staaten, was dort eine sehr hohe militärische Stellung ist; außerdem haben so geringfügige Verbesserungen, wie die seinigen, niemals einen Gewinn eingebracht, der sich mit dem seinigen vergleichen läßt *). Ja, wir sagen es mit Bedauern, es ist zu beklagen, wenn man einen Mann von der ehrenwerthen Stellung des Herrn Colt findet, der sich die Verbreitung eines Prospectus erlaubt, oder von Seiten seiner Agenten gestattet, welcher an die schönen Tage der Polemik Robert Macaire's in diesen Zeiten erinnert, wo sie sich mit so viel Selbstgefälligkeit auf der vierten Seite der Zeitungen breit machte.

Wir wollen hier nicht den beschreibenden Theil dieses Prospectus wiedergeben, denn er bekundet entweder von Seiten des Verfassers, oder von Seiten des Uebersetzers des fraglichen Prospectus eine vollständige Unkenntniß der technischen Ausdrücke und selbst einen absoluten Mangel der nöthigen Waffenkenntniß; sondern wir wollen bloß wörtlich denjenigen Theil geben, welcher sich auf die Reclamationen beziehet, die ohne Zweifel auf Verlangen des Herrn Colt aus der Officin des New Quaterly Re-

---

*) Wie man sagt, soll Herr Colt mehre Millionen Dollars mit seinem Revolver gewonnen haben, und wenn wir diese Behauptung für übertrieben halten, so bleiben doch mehre Millionen Franken.

view hervorgegangen sind. Alsdann wollen wir dieselbe Artikel für Artikel, Phrase für Phrase, Idee
für Idee widerlegen, weil uns dieses das beste
Mittel zu sein scheint, das Publicum über den Werth
des fraglichen Revolver's aufzuklären.

„1. Repetirpistole oder Pistole mit ununterbrochenen Schüssen."

„2. Man sei mißtrauisch gegen Verfälschung."

„3. Vortheil, ohne Pfropf und ohne Patrone
zu laden; Einfachheit der Construction; Sicherheit,
Dauer, sicherer Blick bei'm Abschießen, Geschwindigkeit des Schusses, Eindringungskraft, Lage der Höcker
u. s. w. u. s. w., alle diese Umstände machen die
Revolvers des Herrn Colt zu den besten, welche
vorhanden sind, und sichern ihnen beständig den
Vorzug vor allen anderen."

„4. Seit einigen Jahren ist eine wahre Umwälzung in der Industrie der Verfertigung der Feuergewehre durch die Anwendung der Repetition der
Schüsse und der Umdrehung des Apparates auf
diese Art von Waffen entstanden. Diese Modification, wie gering sie auch dem Anscheine nach ist,
wird nothwendig einen beträchtlichen Einfluß selbst
auf die Existenz der Nationen haben, deren Hauptwirkungsmittel nach Außen hin der Krieg ist. Den
Amerikanern verdanken wir die Vervollkommnung,
welche diese Waffen erhalten haben; denn obgleich
man schon seit zweihundert Jahren verschiedene Versuche gemacht hat, um mit derselben Waffe eine
Reihe aufeinanderfolgender Schüsse zu thun, ohne
die Waffe von Neuem zu laden genöthigt zu sein;
so ist man doch erst durch die Beharrlichkeit des
Obrist Colt, durch seine Ausdauer, seinen aufgeklärten und in den mechanischen Wissenschaften bewanderten Geist dahin gelangt, mit vollkommenem

Erfolg alle Schwierigkeiten zu besiegen, die sich im
Bau dieser Waffe darboten."

„5. Die Einwürfe, welche Herr Colt zu besei=
tigen hatte, waren von Vornherein unzählig. Die
Militärpersonen und die Gewehrfabricanten machten
sich über seine Idee, als eine unsinnige Träumerei,
lustig: diese Waffen sollten nämlich bestän=
dig in Unordnung gerathen. — Sie soll=
ten, um wieder geladen zu werden, zu viel
Zeit in Anspruch nehmen. — Außerdem
sollten sie meistentheils, wenn nicht im=
mer, versagen 2c. 2c. — Der tapfere Obrist blieb
nicht, wie es viele Andere unter solchen Umständen
gethan haben würden, unthätig oder setzte seinen
Verleumbern einen schriftlichen Krieg und eine un=
nütze Polemik entgegen; sondern er that mehr, in=
dem er sich nämlich an's Werk machte und nach=
wies, daß nicht ein einziger von ihnen auch nur
das erste Wort kannte, über welches sie mit einer
so selbstgenügenden Autorität discutirten. Es war
übrigens ganz natürlich, daß eine gewisse Opposition
gegen das Hervortreten einer Neuerung in dieser
Art entstand, denn niemals ist eine Erfindung von
einiger Bedeutung anders aufgenommen worden."

„6. Was die Gefahr anlangt, welche die Dreh=
pistole dargeboten haben soll, daß sie nämlich leicht
in Unordnung gerathe, so ist dieser Einwurf auf die
befriedigendste Weise durch eine strenge Untersuchung
von Seiten einer Militärcommission der Vereinigten
Staaten widerlegt worden, indem dieselbe eine sol=
che Pistole zwölfhundertmal und eine Cavalleriepi=
stole fünfzehnhundertmal abschießen ließ, wobei sie
nur täglich ein einziges Mal gereinigt worden, ohne
daß nach diesem Versuche die eine oder die andere
dieser Pistolen im Geringsten in Unordnung ge=
rathen wäre."

„7. Was nun die Erzeugungskosten anlangt, indem fast alle Theile der Waffe mit Hülfe von Maschinen gefertigt werden, und die Hand des Arbeiters nichts dabei zu thun hat, als die Politur und die Vollendung zu besorgen, so wird der Obrist Colt die Verfertigung seiner Entdeckung in seinen Händen behalten, aber immer wird er im Stande sein, geringere Preise zu stellen, als diejenigen seiner Nachahmer, wenn es deren geben sollte. Dieser Umstand bietet übrigens eine größere Sicherheit hinsichtlich der Qualität der Waffen dar, denn wir haben den Beweis, daß von 2082 Schießgewehren, welche der englischen Regierung geliefert und von dem Inspector des Staates im Jahre 1850 geprüft wurden, ein einziger Lauf zersprungen ist. Die angewendeten Maschinen sichern die vollkommenste Gleichförmigkeit in allen einzelnen Theilen der Fabrication, denn die verschiedenen Theile derselben Art von Waffen sind einander vollkommen gleich, so daß, wenn durch den Gebrauch der eine oder der andere Theil beschädigt werden sollte, man die beschädigten Waffen sogleich durch neue Theile wieder vollkommen herstellen kann."

„8. Der an diesen Pistolen befindliche Ladestock bestehet aus einem sehr sinnreich erfundenen, aber sehr einfachen Hebel, welcher, indem er die Kugel in das Rohr treibt, hermetisch die Ausgänge der Kammer verschließt, in welcher sich das Pulver befindet, so daß, wenn man bloß ein wenig Wachs auf den warzenförmigen Höcker des Zündkegels bringt, bevor man auf denselben das Zündhütchen aufsetzt, so kann man die Pistole mehre Stunden in Wasser tauchen, ohne ein Versagen derselben befürchten zu müssen."

„9. Die Bewegungen der drehbaren Kammern sind auf eine bewundernswerthe Weise eingerichtet und bewerkstelliget. Die Schwanzschraube, welche

die sechs cylindrischen Kammern enthält, die zur
Aufnahme des Pulvers und der Kugel bestimmt
sind, bewegt sich jedesmal um den sechsten Theil
des ganzen Umlaufes; man kann nur abfeuern,
wenn die Pulverkammer und der Lauf miteinander
in ganz gerader Linie liegen. In die Basis der cylindrischen Schwanzschraube ist auswendig eine kreisförmige Verzahnung von sechs Zähnen eingeschnitten.
Der Hebel, welcher die Verzahnung in Bewegung
setzt, ist an der Batterie befestigt. Wenn die Batterie
gehoben ist, um das Zündhütchen aufzusetzen, kann
sich der Cylinder oder die Trommel bewegen, aber
nur in einer einzigen Richtung. Während des Nie-
derschlagens der Batterie wird die Schwanzschraube
durch einen besonders dazu bestimmten Hebel fest in
ihrer Lage erhalten; wenn die Batterie gehoben
wird, so entfernt sich der Hebel, und die Trommel
bleibt frei und beweglich."

„10. So lange die Batterie in der Ruhrast verweilt, ist die Schwanzschraube frei und kann beliebig
geladen werden. Die Geschwindigkeit, mit welcher
diese Waffen geladen werden können, ist eine ihrer
Haupteigenschaften: das Pulver wird ganz einfach
successiv in jede der cylindrischen Kammern geschüttet
und die Kugeln werden alsdann, ohne irgend eine
Art von Pfropf, aufgesetzt und durch den Ladestock
niederwärts getrieben, wobei derselbe natürlich niemals in den Lauf gebracht zu werden braucht."

„11. Man mag nun diese Pistolen in der Tasche oder im Gürtel tragen, so ist nie die geringste
Möglichkeit eines zufälligen Losgehens des Schusses
vorhanden."

„12. Wenn die Batterie ganz gehoben ist, so
gewährt sie ein gutes Visir nach dem Korne."

„13. Die Pistole ist sehr leicht zu spannen:
man zieht den Hahn mit einem Finger der rechten

Hand auf, welche Einrichtung in jeder Hinsicht vor jener den Vorzug hat, wo die Batterie durch einen Druck auf den Abzug gehoben wird. Letztere Einrichtung ist in vielen Hinsichten fehlerhaft, indem der Druck an und für sich schon von Vornherein ein genaues Visiren verhindert, diese Einrichtung auch die Federn anstrengt und die Waffe sehr häufig in Unordnung bringt."

„14. Alles Dieses ist nicht der Fall bei den Pistolen des Herrn Colt; man kann behaupten, daß dieselben für den Gebrauch, zu welchem sie bestimmt worden, in aller Hinsicht vollkommen sind."

„15. Die Erfindung des Obrist Colt hat, wie zu erwarten stand, Legionen von Nachahmern hervorgerufen. Wir haben ihre Producte sämmtlich und genau untersucht und gefunden, daß sie alle den Waffen des amerikanischen Erfinders bei Weitem nachstehen; und da Letztere natürlich durch Patente gesichert sind, so können sie auch in ihren wesentlichen Theilen durchaus nicht nachgeahmt werden."

„16. Um nur ein einziges Beispiel anzuführen, machen wir bemerklich, daß die englischen Revolvers weder den Ladestock der amerikanischen, noch die Scheidung zwischen den warzenförmigen Erhöhungen der Zündkegel besitzen, welche der Obrist Colt für wesentlich und unentbehrlich hält."

Bevor wir nun zur Widerlegung dieser Thatsache schreiten, benachrichtigen wir den Leser, daß wir, ohne dem Prospectus den Stempel der Originalität zu entziehen, uns dennoch genöthigt finden, gewisse Ausdrücke zu berichtigen, die in der obigen Satzbildung sich als unverständlich darstellen. Wir machen auch bemerklich, daß das Wort Batterie in dem obigen Prospectus mehrmals ganz falsch statt des Ausdruckes Hahn gebraucht worden ist. Im Anfange besaßen die tragbaren Schießgewehre noch nicht denjenigen Theil, welcher seit der Zeit den Namen der Pfanne erhalten hat. Es befand sich am Pulversack eine kleine Aushöhlung, in welche man ein Wenig Pulver brachte. Dieses Pulver nun communicirte mit demjenigen der Ladung mittelst eines in dem Metalle des Laufes angebrachten Canales und war bedeckt durch einen flachen Rahmen, welcher in einem doppelten Falze sich verschob. Der Rahmen besaß den Namen Feuerdeckel. Im Augenblicke, wo der Schuß abgefeuert wurde, schlug nun der Feuerstein, mit welchem der Hahn bewaffnet war, gegen eine verstählte Fläche, um den zündenden Funken hervorzulocken. In diesem Augenblicke wurde der Feuerdeckel durch eine Feder weggeschoben, und das Pulver der Aushöhlung war nun unbedeckt. Später kam man auf den Gedanken, an der rechten Seite des Schloßbleches eine Pfanne anzubringen und zu gleicher Zeit die Schlagfläche und den Feuerdeckel durch ein an der Pfanne befestigtes Stück zu ersetzen. Dieser Theil nun, welcher die Functionen jener beiden Stücke erfüllte, erhielt den Namen der Batterie, weil der Hahn in der That gegen den oberen Theil der Batterie schlug. In ausgedehnter Weise hat man auch seit der Zeit die Gesammtheit der Stücke, die zum Mechanismus gehören, welcher die Explosion erzeugt, Batterie genannt, und ebenso hat man auch alle die Stücke, welche mit dem Schloßbleche verbunden sind, das Schloß genannt. Nachdem wir diese Bemerkung hier gemacht haben, werden wir nicht wieder darauf zurückkommen und wenden uns nun zu der oben angekündigten Widerlegung.

Erster Artikel. „Repetirpistole oder Pistole mit ununterbrochenen Schüssen." — Der Revolver des Hrn. Colt ist weder mit einer Repetition, noch mit ununterbrochenen Schüssen ausgestattet, indem er nur die fünf oder sechs Schüsse, mit welchen er versehen ist, abschießen kann, indem man ebensovielmal die Umdrehung des Apparates unterbricht, um den Hahn zu spannen. Die Revolvers von Herrmann, von Rissac, von Le Mariette, von Barnett, von Adams-Deane sind alle Pistolen mit ununterbrochenen Schüssen, indem nämlich nichts die drehende Bewegung der Trommel unterbricht.

Zweiter Artikel. „Man sei mißtrauisch gegen Verfälschungen." — Herr Colt, welcher, wie aus dem Prospectus hervorgehet, eine große Gewehrfabrik errichtet hat (diese Fabrik befindet sich in den Gebäuden von Thames-Bank an der Vaurhallbrücke zu London), gestattet indessen fremden Fabricanten, seine Erfindung nachzumachen, sobald sie ihm für jede Waffe, als Stempelgeld, zehn Franken bezahlen. Wir überlassen es nun dem Leser, hieraus seine Schlußfolgerungen zu ziehen.

Dritter Artikel. — „Vortheil, ohne Pfropf und ohne Patrone zu laden." — Das Wort Laden bedeutet eben so gut einen Pfropf auf die Ladung des Laufes zu setzen, und wenn Herr Colt bei seinem Gewehr weder Pfropf noch Patrone anwendet, so hat dasselbe diesen Umstand mit den meisten Revolvers gemein, und es ist gar kein Grund vorhanden, sich dessen zu rühmen. Uebrigens macht sich bei dem Revolver des Herrn Colt zum Laden ein Ladestock mit Hebel nöthig, welche Unbequemlichkeit bei allen andern Revolvers vermieden ist.

„Einfachheit der Construction." — Dieses ist unrichtig, denn der Revolver des Herrn Colt ist sehr complicirt, ja viel zu sehr complicirt.

„Sicherheit." — Wir werden weiter unten sehen, daß die Waffe nicht die Sicherheit gewährt, welche man ihr hier zuschreibt.

„Dauer." — Wir haben mehre Einwendungen
gegen diese Behauptungen zu machen. Die Schäftung
dieser Pistole besteht gewöhnlich aus geschnittenem
Nußbaumholz, welches wenig geeignet ist, lange
Dienste zu leisten; der Kolben, der bloß an das
Schloßblech angesetzt ist und bloß durch eine einzige
Schraube an dem Beschläge befestigt, bekommt bald
eine unangenehme Beweglichkeit, die man nicht besser
bezeichnen kann, als daß man sagt, der Kolben wird
wacklich. Da endlich die beiden Bänder des Be=
schläges entweder aus Messing oder aus Neusilber,
folglich aus einer nicht sehr harten metallischen Sub=
stanz, gefertigt sind, so müssen sie sich sehr bald ab=
nutzen, besonders an den Stellen, wo sie in Berüh=
rung mit den fünf Schrauben sind, welche sie mit
dem Schloßbleche verbinden.

„Sicherer Blick beim Abschießen." — Was soll nun
dieser Ausdruck bezeichnen? Kann eine Waffe jemals
einen sicheren Blick besitzen? Wenn man damit hat
sagen wollen, daß man mit dieser Waffe bequem vi=
siren könne, so erwidern wir, daß dieses auch der Fall
bei den Pistolen von Herrmann, von J. Lang
und von Adams=Deane ist, wenn der Schütze
Uebung und Geschicklichkeit besitzt.

„Geschwindigkeit des Schusses." — Ein Schuß hat
immer, wenn der Hahn gespannt ist, ziemlich die=
selbe Geschwindigkeit. Es waltet allerdings eine Dif=
ferenz der Geschwindigkeit im Abschießen einer ge=
wissen Zahl von Schüssen bei den verschiedenen Ar=
ten der Revolvers ob; da nun der Revolver des
Herrn Colt nach jedem Schusse wieder aufgezogen
werden muß, so findet in der Continuität seiner
Schüsse eine geringere Geschwindigkeit Statt, als bei
den Revolvern mit ununterbrochener Drehung, wie
z. B. bei denjenigen von Herrmann, von Rissac,
von Barnett und von Adams=Deane.

„Alle diese Umstände machen die Revolvers des Herrn Colt zu den besten, welche vorhanden sind, und sichern ihnen beständig den Vorzug vor allen anderen." — Wenn die Revolvers des Herrn Colt besser sind, als alle anderen, so haben sie offenbar auch den Vorzug vor ihnen. Nun aber müssen wir diese Behauptung leugnen: unserer Ueberzeugung nach steht der Revolver des Herrn Barnett demjenigen des Herrn Colt wenigstens gleich. Derjenige des Herrn J. Lang ist sogar vorzüglicher und derjenige von Adams-Deane ist noch bei Weitem vorzüglicher.

Vierter Artikel. „Seit einigen Jahren ist eine wahre Umwälzung in der Industrie der Verfertigung der Feuergewehre durch die Anwendung der Repetition der Schüsse und der Umdrehung des Apparates auf diese Art von Waffen entstanden." — Wenn man den Sinn dieses Satzes mit einem anderen zusammenstellt, der weiter unten folgt, so sollte man glauben, daß man seit zweihundert Jahren vergeblich bemüht gewesen sei, an den Schießgewehren die drehende Bewegung anzubringen. Dagegen ist nun aber bekannt, daß es dergleichen Waffen schon seit dreihundert Jahren gegeben hat.

„Diese Modification, wie gering sie auch dem Anscheine nach ist, wird nothwendig einen beträchtlichen Einfluß selbst auf die Existenz der Nationen haben, deren Hauptwirkungsmittel nach Außen hin der Krieg ist." — Welcher Barbar wagt aber jetzt noch im neunzehnten Jahrhunderte zu behaupten, daß es Nationen gebe, für welche der Krieg das Hauptwirkungsmittel nach Außen hin sei?! ·

„Den Amerikanern verdanken wir die Vervollkommnungen, welche diese Waffen erhalten haben; denn obgleich man schon seit zweihundert Jahren verschiedene Versuche gemacht hat, um mit derselben Waffe eine Reihe aneinanderfolgender Schüsse zu thun, ohne die Waffe von Neuem zu laden genöthigt zu sein, so ist man doch erst durch die Beharrlichkeit des Obrist Colt, durch seine Ausdauer, seinen aufgeklärten und in den mechanischen Wissenschaften bewanderten Geist dahin gelangt, mit vollkommenem Erfolg alle Schwierigkeiten zu besiegen, die sich im Baue dieser Waffe darboten." — Es giebt allerdings Waffen, mit welchen man eine Reihe successiver Schüsse thun kann, ohne daß man genöthigt ist, dieselben wieder zu laden. Dieses sind solche Schießgewehre, in welche man mehre Ladungen in einen und denselben Lauf einsetzt; nun ist aber der Revolver des Herrn Colt diesen Gewehren nicht im Geringsten ähnlich.

Wie wir schon in der Vorrede erwähnt haben, hat man bereits seit dreißig Jahren Drehpistolen gefertigt, welche, obschon nicht vollkommen, doch wenigstens ganz leidlich waren; und wie weiter unten nachgewiesen werden soll, ist der Revolver des Herrn Colt noch weit davon entfernt, ohne Mängel zu sein, und man kann deßhalb dem Herrn Colt keineswegs die Ehre zuschreiben, daß er mit vollkommenem Erfolg alle Schwierigkeiten besiegt habe, welche sich im Baue dieser Waffen dargeboten haben. Herr Colt hat die Revolvers sehr vervollkommnet, aber er hat wenig daran erfunden. Wir wiederholen es, daß wenn er auch nach der Behauptung seines Panegyrikers mit großer Beharrlichkeit, seltener Ausdauer, einem aufgeklärten und in den mechanischen Wissenschaften bewanderten Geiste begabt war, er doch die Arbeiten seiner Vorgänger stark benutzt hat. Dahin gehören Lenormand, Devisme, Herrmann, Mariette und Andere, alles Franzosen oder Belgier.

Fünfter Artikel. „Die Einwürfe, welche Hr. Colt zu beseitigen hatte, waren von Vornherein unzählig. Die Militärpersonen und die Gewehrfabricanten machten sich über feine Idee, als eine unsinnige Träumerei, lustig. Diese Waffen sollten nämlich beständig in Unordnung gerathen; sie sollten, um wieder geladen zu werden, zuviel Zeit in Anspruch nehmen. Außerdem sollten sie meistentheils, wenn nicht immer, versagen." — Jede Träumerei ist unsinnig, über die Idee des Herrn Colt, als eine unsinnige Träumerei, hatte man keinen Grund, sich lustig zu machen. Auch glauben wir nicht, daß Militärpersonen und Gewehrfabricanten sich über Herrn Colt lustig gemacht haben; sie konnten ihm höchstens widersprechen, und dieses ist Alles. Aus einem Protocoll, welches in Folge von Versuchen aufgenommen wurde, denen Herr Colt beiwohnte, ergiebt sich, daß die Einwürfe, die von den Personen erhoben wurden, von welchen so eben die Rede war, keineswegs der Begründung entbehrten: der fragliche Revolver geräth leicht in Unordnung, nicht im Gange seiner Batterie, sondern im Gange seines Apparates. Das Laden desselben nimmt mehr Zeit in Anspruch, als dasjenige der andern Revolvers. Endlich kommt bei demselben ein häufiges Versagen vor. Wir werden weiter unten den Beweis für diese Behauptung liefern.

"Der tapfere Obrist blieb nicht, wie es viele Andere unter solchen Umständen gethan haben würden, unthätig, oder setzte seinen Verleumbern einen schriftlichen Krieg und eine unnütze Polemik entgegen." — Die Polemik ist ein schriftlicher Krieg, eine andere Polemik giebt es nicht. Und nennt man eben deßhalb Herrn Colt den tapferen Obrist, weil er so klug gewesen ist, dabei zu beharren, Reichthümer zu sammeln? —

"Er that mehr, indem er sich nämlich an's Werk machte und nachwies, daß nicht ein einziger von ihnen auch nur das erste Wort kannte, über welches sie mit einer so selbstgenügenden Autorität discutirten."

Dieser ganze Satz ist fehlerhaft von einem Ende bis zum andern, sowohl in literarischer, als in logischer Hinsicht. Bei einem Gegenstande dieser Natur disputirt man nicht über ein Wort, wohl aber über Thatsachen, oder über Ideen; eine zu selbstgenügende Autorität hört auf Autorität zu sein, sondern wird zu einem dünkelhaften Vertrauen auf das eigene Urtheil, auf die eigene Meinung. Wie erklärt es sich nun endlich, daß Gewehrfabricanten nichts von einer Sache verstehen sollten, die doch ganz in ihr Fach einschlägt? —

Sechster Artikel. — „Was die Gefahr anlangt, welche die Drehpistole dargeboten haben soll, daß sie nämlich leicht in Unordnung gerathe, so ist dieser Einwurf auf die befriedigendste Weise durch eine strenge Untersuchung von Seiten einer Militär = Commission der Vereinigten Staaten widerlegt worden, indem dieselbe eine solche Pistole zwölfhundert Mal und eine Cavalleriepistole fünfzehnhundert Mal abschießen ließ, wobei sie nur täglich ein einziges Mal gereinigt wurden, ohne daß nach diesem Versuche die eine oder die andere dieser Pistolen im Geringsten in Unordnung gerathen wären.“ — Es ist nicht gesagt, in wie viel Zeit die oben angegebene Zahl von Schüssen abgefeuert wurde, was man doch wissen müßte. Wie dem aber auch sei, wenn man hier von in Unordnung gerathen der Theile des Schlosses sprechen will, so lassen wir die Behauptung gelten; handelt es sich aber auch um den Gang des Drehapparats und um die Art, wie der Lauf auf der Achsenspindel befestigt ist, so setzen wir der Prüfung, welche auf Befehl einer Militär = Commission der Vereinigten Staaten angestellt worden ist, die ganz unähnlichen Resultate entgegen, welche im Arsenal von · Woolwich von sicherlich sehr competenten Personen erlangt worden sind. Nach einem solchen Zeugnisse enthalten wir uns, unserer eigenen Versuche Erwähnung zu thun.

Siebenter Artikel. — „Der Obrift Colt wird im=
mer im Stande fein, geringere Preife zu ftellen, als dieje=
nigen feiner Nachahmer, wenn es deren geben follte." —
Hier fcheint der Redacteur der Reclamation zu be=
zweifeln, daß es Nachahmer gebe, und weiter unten
verfichert er, daß fchon Legionen derfelben aufgetre=
ten find. Es drängt fich übrigens noch die Bemer=
kung auf, daß Herr Colt keine Preife ftellen kann,
fondern daß er feine Waare zu gewiffen Preifen
anbietet.

„Von 2082 Schießgewehren, welche der englifchen Re=
gierung geliefert und von dem Infpector des Staates im
Jahre 1850 geprüft wurden, ift nur ein einziger Lauf zer=
fprungen." — Warum wird hier nicht von den dreh=
baren Trommeln gefprochen, was allerdings der Mühe
werth gewefen wäre?

„Wenn durch den Gebrauch der eine oder der andere
Theil der Piftole des Herrn Colt befchädigt werden follte,
fo kann man die befchädigten Waffen fogleich durch neue
Theile wieder vollkommen herftellen." — Viel Worte und
wenig Sinn! Es ift ja eine bekannte Sache, daß fich
jede Waffe wiederherftellen läßt, wenn man die
befchädigten Theile durch neue erfetzt. Jede Gewehr=
art läßt fich repariren.

Achter Artikel. — „Der an diefen Piftolen befind=
liche Ladeftock befteht aus einem fehr finnreich erfundenen,
aber fehr einfachen Hebel. — Somit hätten wir denn
einen Ladeftock, während §. 3 gefagt ift: „Vortheil,
ohne Ladeftock zu laden."

Der Hebel und der mit ihm verbundene Lade=
ftock find keineswegs einfach, indem fie vielmehr
das complicirtefte Element bilden, was uns in die=

Schauplatz, 222. Bd.   3

fer Art bekannt ist; warum traf Herr Colt nicht die
Einrichtung, diese beiden Theile ganz wegzulassen?
Was endlich das Verdienst der Erfindung anlangt,
so wenden wir ein, daß diese Erfindung ebenso alt,
wie Archimedes ist. Es giebt eine Menge Maschinen, in welchen man ziemlich ähnliche Motoren in
Thätigkeit sieht. Ohne uns sehr weit umzusehen,
wollen wir nur das Excentricum erwähnen, dessen
man sich bedient, um die Locomotiven von einem
Geleise auf das andere zu bringen. Der Grundsatz
ist der nämliche, obgleich der Mechanismus so eingerichtet ist, daß er eine Resultante hervorbringt,
welche im entgegengesetzten Sinne wirkt.

„Wenn man bloß ein Wenig Wachs auf den warzenförmigen Höcker des Zündkegels bringt, bevor man auf denselben das Zündhütchen aufsetzt, so kann man die Pistole
mehre Stunden in's Wasser tauchen, ohne ein Versagen derselben befürchten zu müssen." — Erstlich giebt es keinen
warzenförmigen Körper des Zündkegels, denn jeder
Zündkegel befindet sich in der Mitte einer Aushöhlung
zwischen zwei warzenförmigen Höckern; in die Aushöhlung zwischen den beiden warzenförmigen Körpern müßte
man also das Wachs bringen. Wenn man sodann
das Wachs einbringt, ehe man das Zündhütchen
aufgesetzt hat, so wird man den Canal des Zündkegels hermetisch verschließen. Wenn man endlich
das Wachs entweder auf die warzenförmigen Höcker,
oder in die Aushöhlungen bringt, in welchen die
Zündkegel sich befinden und zwar vor oder nach dem
Aufsetzen der Zündhütchen, was wird dann geschehen?
Unter sechs Schüssen wird man vier Versager haben,
wie sich aus dem Protocoll ergiebt, welches wir diesen Zeilen beilegen.

Neunter Artikel. — „Die Bewegungen der drehbaren Kammern sind auf eine bewundernswerthe Weise ein-

gerichtet und bewerkstelligt." — Es ist nur eine drehbare Trommel vorhanden, in welche fünf oder sechs
Kammern gebohrt sind; eine drehbare Kammer ist
aber strenge genommen nicht vorhanden. Was die
bewundernswerthe Regelmäßigkeit der Bewegung des
Apparates anlangt, so wird man wissen, wie viel
davon zu halten sei, wenn man einen Blick in das
erwähnte Protocoll thut.

Zehnter Artikel. — „Die Geschwindigkeit, mit welcher die Revolvers des Herrn Colt geladen werden können,
ist eine ihrer Haupteigenschaften." — Wenn die Revolvers
des Herrn Colt keinen andern wesentlichern Vorzug, als die Geschwindigkeit ihres Ladens besäßen,
so würden sie eine Waffe von geringem Werthe darbieten. Uns ist keine Drehpistole bekannt, ausgenommen diejenige vielleicht von Le Mariette, die
nicht schneller geladen werden könnte.

Eilfter Artikel. — „Man mag nun diese Pistolen
in der Tasche, oder im Gürtel tragen, so ist nie die geringste Möglichkeit eines zufälligen Losgehens des Schusses
vorhanden." — Es heißt hier, nicht die geringste
Möglichkeit sei vorhanden; eine Sache kann aber
nur möglich, oder nicht möglich sein. Wir werden
übrigens finden, daß dergleichen Zufälle sich ereignen
können, in dem Augenblicke, wo man den Revolver
des Herrn Colt in die Pistolenhalfter, in die Tasche,
oder in den Gürtel steckt.

Zwölfter Artikel. — „Wenn die Batterie ganz gehoben ist, so gewährt sie ein gutes Visir nach dem Korne."
— Diese Einrichtung ist sinnreich, weil sie die Un-
annehmlichkeit vernichtet, welche das Spiel des Hahnes in der eigentlichen Achse des Apparates darbietet, aber sie gewährt keinen absoluten Vortheil. Jede
Waffe muß dem Schützen die Bequemlichkeit gewäh-

3*

ren, angemessen visiren zu können, denn dieses ist eine unerläßliche Bedingung eines Schießgewehrs.

Dreizehnter Artikel. — „Die Pistole ist sehr leicht zu spannen: man zieht den Hahn mit einem Finger der rechten Hand auf, welche Einrichtung in jeder Hinsicht vor jener den Vorzug hat, wo die Batterie durch einen Druck auf den Abzug gehoben wird. Letztere Einrichtung ist in vielen Hinsichten fehlerhaft, indem der Druck an und für sich schon von vornherein ein genaues Visiren verhindert, diese Einrichtung auch die Federn anstrengt und die Waffe sehr häufig in Unordnung bringt." — Der Visirpunct ist auf einer Waffe immer mit Genauigkeit angebracht, nur nicht immer so eingerichtet, daß er das Visiren sicher und leicht macht. Dieses sollte wohl der Sinn der obigen Stelle sein.

Wenn es wahr ist, daß der Mechanismus sich rasch abnutzt, sobald mit dem Abzuge auch der Hahn gespannt wird; wenn es ferner wahr ist, daß diese Bewegung gewöhnlich eine gewisse Erschütterung in der Waffe erzeugt, wie dieses bei dem Revolver von Le Mariette und besonders bei demjenigen von Rissac der Fall ist, so läge nur um desto größeres Verdienst darin, nach diesem Systeme einen Revolver herzustellen, der nicht in Unordnung geräth und dessen sanfter Gang und festes Anschließen des Schlosses von der Art sind, daß die erzeugte Erschütterung fast ganz verschwindet, welche Resultate bei den Pistolen von Barnett und hauptsächlich bei denen von Adams-Deane erreicht worden sind.

Wir müssen noch die Bemerkung machen, daß, da der Revolver keineswegs eine Waffe für genaues Schießen ist, sondern bloß zur Vertheidigung dient bei plötzlichem Anfall, bei unvermuthetem Angriff, dabei von nicht häufigem und beinahe zufälligem Gebrauch, so ist bei ihm die Geschwindigkeit des

Schießens ein wichtiger Umstand, und dieser Vortheil muß allen andern voranstehen, sobald das Gewehr nur eine geringe Abweichung gewährt.

Vierzehnter Artikel. — „Alles dieses ist nicht der Fall bei den Pistolen des Herrn Colt; man kann behaupten, daß dieselben für den Gebrauch, zu welchem sie bestimmt worden, in aller Hinsicht vollkommen sind." — Leider werden wir weiter unten finden, daß diese Behauptung sehr wenig begründet ist.

Fünfzehnter Artikel. — Wie zu erwarten stand, hat diese Erfindung des Obrist Colt Legionen von Nachahmern hervorgerufen. Wir haben ihre Producte sämmtlich und genau untersucht und gefunden, daß sie alle den Waffen des amerikanischen Erfinders bei Weitem nachstehen. — Der Obrist Colt hat Nichts erfunden; er hat bloß vervollkommnet, geordnet, eingerichtet und mit einer gewissen Geschicklichkeit nebeneinander gestellt, durchaus Nichts weiter. Was die Waffen anlangt, welche von dem Verfasser der Reclamation im New Quarterly Review untersucht und geprüft worden sind, so hätten wir wohl gewünscht, daß er dieselben genauer bezeichnet hätte. Wir folgern aus dieser Unterlassung, daß sich die Revolvers von Barnett, J. Lang und Adams-Deane, besonders letzterer, nicht unter den Arbeiten der verschiedenen Nachahmer befunden haben, welche jene Legionen bilden, von denen der Prospectus des Herrn Colt spricht.

Sechszehnter Artikel. — „Um nur ein einziges Beispiel anzuführen, machen wir bemerklich, daß die englischen Revolvers weder den Ladestock der amerikanischen, noch die Scheidung zwischen den warzenförmigen Erhöhungen der Zündcanäle besitzen, welche der Obrist Colt für wesentlich und unentbehrlich hält." — Nicht die Scheidung, welche zwischen den warzenförmigen Höckern der Zündcanäle sich befindet, sondern die Scheidung, welche zwischen den Zündcanälen mittelst jener Höcker bewirkt wird, wie auch die Vertheilung der Spitzen, mit denen diese Höcker versehen sind, macht in dem Systeme des Hrn. Colt einen wirklichen Vorzug aus. Ungeachtet ihrer Nützlichkeit kann man indessen diese Einrichtung keine Erfindung nennen.

Was nun noch den Hebel am amerikanischen Ladestocke anlangt, so wünschen wir den Fabricanten oder Erfindern jeder andern Nation aufrichtig dazu Glück, daß sie diese hinderliche und complicirte Beigabe weggelassen haben.

Summarische Wiederholung. — Es läßt sich nicht leugnen, daß Herr Colt sehr übel berathen war, als er dem Verfasser des von uns analysirten Prospectus die Aufgabe machte, seinen Revolver zu loben.

Der kurze Inhalt unserer Untersuchung besteht demnach in Folgendem: —

Die Pistole des Herrn Colt ist schwer, ja viel zu schwer. Da der Hebel nebst dem Ladestocke, so wie der unregelmäßige Theil am Laufe, die halbkugelförmige Masse hinten am Schloßbleche und die Bänder des Beschläges alles massive metallne Stücke sind, so konnte es hinsichtlich der Schwere der Waffe nicht wohl anders sein. Dieser Revolver muß also vereinfacht und leichter gemacht werden.

Die Gestalt des Kolbens ist nicht sehr geschmackvoll und wenig gefällig für's Auge. Der Griff liegt nicht gut in der Hand, wackelt dabei leicht und wird gern locker.

Das Beschläge aus Messing oder Neusilber, welches die Batterie mit dem Schafte verbindet, giebt dieser Pistole, indem es sich um den Griff, wie auch um den Kolben herumzieht, ein plumpes Aussehen. Sie muß sich auch an dem Sitze der Schrauben schnell abnutzen.

Die Batterie ist äußerst complicirt.

Das Zerlegen und das Zusammensetzen der Waffe ist äußerst schwierig; wenige Gewehrliebhaber dürften im Stande sein, damit gehörig fertig zu werden.

Die Pistole des Herrn Colt ist nicht frei von einem Fehler, der den Drehwaffen eigenthümlich zu sein pflegt, dessen Wirkungen indessen einige Gewehrfabricanten ein Wenig gemindert haben. Dieser Fehler besteht in Folgendem: — Da die Oeffnung am hintern Ende des Laufes denselben Durchmesser besitzt, wie die Röhren der drehbaren Trommel, und da der Durchschnitt dieser Oeffnung scharfe Kanten hat, so ist die Folge davon, daß die Kugel bei ihrem Austritt aus den Kammern der Trommel schwierig in die Seele des Laufes übertritt und manchmal sich sogar abplattet, oder sich an der Schärfe der hintern Mündung zerschneidet. Dadurch geht aber Gas verloren in dem Augenblicke, wo die Kugel vorwärts getrieben wird, es findet ein Ausspritzen, Rückstoß, beständige Ungleichheiten im Schießen und schnelle Abnutzung der Waffe Statt. Herr Colt hatte selbst die Uebelstände dieser Einrichtung eingesehen, denn er trug Sorge, in der Anweisung zum Laden seines Revolver's den Rath zu geben, mit Vorsicht die Kugeln in die Röhren der Trommel zu treiben, damit sie bei ihrem Austritte die Drehung des Apparats nicht beschädigen könnten. Aber warum hat er nicht den Versuch gemacht, einem solchen Zustande der Dinge abzuhelfen? Wir werden übrigens angeben, wie er diese Unvollkommenheit hätte beseitigen können.

Der Schlüssel des Schiebers, ein kleiner, flacher Schließnagel, welcher den Lauf an der Achsenspindel befestigt, ist aus Eisen. Er bewegt sich in einem Schieber, welcher ebenfalls aus Eisen ist. Nun läßt

sich nicht leugnen, daß bei jedem Schuß eine Er=
schütterung entsteht, deren Wirkung ganz besonders
an dieser Stelle gespürt wird und welche dazu bei=
trägt, die scharfen Kanten des Schließnagels abzu=
stumpfen und dadurch ihm ein etwas zu freies Spiel
zu geben. Es kann also der Fall eintreten, — und
derselbe tritt wirklich ein, denn wir sind Zeugen
eines solchen Ereignisses gewesen, welches während
der Versuche, die mit dem Revolver des Hrn. Colt
angestellt wurden, sich ereignete, — daß im Augen=
blicke des Schießens der Schließnagel aus seinem
Schieber getrieben worden ist, entweder weil der
Schütze die Waffe ein Wenig geneigt gehalten hat,
oder weil die Erschütterung zu heftig war, welche
das Gewehr durch eine Reihenfolge von Schüssen
erfahren hat. Alsdann kann der Fall eintreten, daß
der Lauf nach der einen Seite und die Trommel
nach der andern Seite geschleudert wird, was aller=
dings ein sehr schlimmes Ereigniß ist.

Der Mechanismus der Pistole des Herrn Colt
ist sanft und fügsam; nichtsdestoweniger hat aber
der Abzug wenig Kraft und folglich auch der Hahn
wenig Schlagkraft. Diese Schwäche erzeugt folgende
Uebelstände:

1) zahlreiche Versager, wovon man sich über=
zeugen wird, indem man einen Blick auf die Tabelle
wirft, die wir weiter unten mitgetheilt haben und
welche das Ergebniß von Versuchen enthält, denen
Herr Colt beigewohnt hat.

2) Eine häufige Störung im Gange der Trom=
mel. Da man nämlich genöthigt ist, bei dem sanf=
ten Abdruck sehr dünne kupferne Zündhütchen anzu=
wenden, so gerathen die Trümmern des Zündhüt=
chens häufig zwischen die drehbare Trommel und den
ebenen Theil der halbkugelförmigen Masse, welche
sich hinten am Schloßbleche befindet. Die Folge da=

von ist eine vollständige Unterbrechung der Bewegung des Apparats.

Endlich bemerken wir noch Folgendes: Der Revolver des Herrn Colt hat eine unregelmäßige Form, die ihn wenig geeignet zum Tragen, in der Pistolenhalfter, in der Tasche oder im Gürtel macht; denn da der Hahn ganz entblößt ist, auch aufgezogen werden kann, ohne daß man auf den Abzug drückt, so bringt diese Einrichtung beständig die Möglichkeit zufälliger Gefahren in Folge von Reibung, von Stößen oder von Fallen.

Ungeachtet der hier angedeuteten Mängel ist indessen dieser Revolver dennoch eine Waffe, die große Vorzüge vor allen denjenigen dieser Gattung hat, welche in früherer Zeit gefertigt worden sind, und zwar wegen seines genauen Schusses, wegen seiner weiten Tragfähigkeit, wegen seiner Durchdringungskraft, wegen seiner leichten Handhabung und wegen der Geschmeidigkeit, so wie der Güte seines Mechanismus. Nach dieser Erklärung können wir indessen unsere Verwunderung nicht unterdrücken, daß Hr. Colt, nachdem er so leicht enorme Summen durch leichte Modificationen an einem schon bekannten Waffensysteme gewonnen hatte, ohne daß er eine wichtige Regel aufgestellt, noch irgend ein wichtiges Princip entdeckt hatte, auf seinen Lorbeeren, oder, richtiger gesagt, auf seinem großen Gewinne eingeschlafen und nur darauf bedacht gewesen ist, Nutzen von seinem Revolver zu ziehen, ohne sich damit zu beschäftigen, ihm die Vervollkommnungen zu verleihen, deren er fähig ist.

Dieses ist freilich nicht die Handlungsweise der eigentlichen Erfinder, solcher, welche durch die Liebe zur Kunst und zur Wissenschaft auf dem so arbeitsvollen, so mühsamen und so undankbaren Wege der Erfindungen vorwärts getrieben werden! — Man betrachte den unglücklichen Commandanten De l v i g n e: nachdem er sein Vermögen und dasjenige seiner Familie auf lange Versuche verwendet; nachdem er seinen Grad, seine Stelle, seine Vergangenheit und seine Zukunft in dem Kampfe aufgeopfert hatte, den er gegen die Special=Commissionen führte; nachdem er erfahren hatte, daß gewandte und geschickte Concurrenten die von ihm entdeckten Gesetze anwendeten und mit Nutzen ausführten, strebte er immer vorwärts, machte unaufhörlich Versuche und war noch bemüht, die Erzeugnisse seiner glücklichen Nebenbuhler, die ebenso viel Werth, als seine eigenen hatten, zu vervollkommnen. Die Zukunft oder die Nachkommenschaft wird dieses vielleicht ahnden, leider wird aber dadurch nicht verhindert, daß das Genie eine Beute des Kummers wird, wie es dem obengenannten Manne erging, welcher zuerst die Gesetze aufstellte, durch welche die Waffen für genaues Schießen eine Tragweite, eine Genauigkeit im Treffen und eine Eindringungskraft erlangt haben, die wirklich schrecklich sind.

Diese Gesetze sind nun:

1) man treibe in die Seele einer gezogenen Waffe ein Geschoß, welches hinten hohl ist und welches bequem in die Mündung des Rohres eingeführt werden kann; man treibe das Geschoß auf der Mündung einer Kammer durch den Stoß des Ladestocks etwas in die Breite.

2) Man ersetze die runde Kugel durch eine sogenannte Spitzkugel, um die Tragkraft und die Richtigkeit des Schießens der Waffe zu vermehren, indem man das Gewicht des Geschosses vermehrt und zugleich den Widerstand der Luft im Verhältniß zu diesem Gewichte vermindert.

3) Man treibe auch dieſes nämliche Geſchoß durch die Pulvergaſe vorwärts, welche, indem ſie ſich ausdehnen, auf den hohlen und hintern Theil wirken.

Die vorhergehenden Zeilen, welche gewiſſermaßen wider unſern Willen unſerer Feder entſchlüpft ſind, legen uns die Verbindlichkeit auf, ehrlich zu ſagen, wodurch das bittere Gefühl entſtanden ſei, welches uns obige Beſchuldigungen dictirt hat. Wir nehmen deßhalb von jetzt an die Verbindlichkeit über uns, auf dieſen Gegenſtand in einem Artikel wieder zurückzukommen, welcher den genauſchießenden Gewehren gewidmet iſt. Was nun den Commandanten Delvigne anlangt, ſo iſt er reich an Liebe für ſein Vaterland, reich an Liebe für die Kunſt, reich an Achtung, die kein echter Waffenkenner ihm verſagen kann, und wird unſerer Ueberzeugung nach, eine ſehr ſüße Genugthuung in dem Gedanken finden, daß ſeine Entdeckungen die ſchönen Erfindungen eines Minié, Vieillard und Tamiſier hervorgerufen haben.

Vervollkommungen, welche an den Revolvers gemacht worden ſind.

Die Erfindungen haben gewöhnlich drei ganz beſtimmte Phaſen zu durchlaufen: die Entſtehung oder die Auffaſſung der Idee; das Experimentiren mit derſelben, oder die Zeit der fruchtloſen Verſuche; und endlich ihre Einführung in's Leben, in Folge glücklicher Anwendungen.

Dieſe Phaſen ſind von kürzerer oder längerer Dauer, je nach der Natur der Dinge, je nach den Intereſſen oder den Bedürfniſſen des Augenblicks, je nach den Zeitbeſtrebungen, mit einem Worte, je nach der Macht der Ereigniſſe.

So ſchwebt z. B. eine Idee manchmal Jahrhunderte lang im Zuſtande der Unentſchiedenheit;

dann kommt ein gescheider, industriöser Kopf von
practischem Blick, der, von den Umständen begünstigt,
sich Mühe giebt, diese Idee hervorzuheben. Dieses
war gerade der Fall mit dem Revolver des Herrn
Colt.

Die Waffen mit mehren aufeinander folgenden
Schüssen, sowohl von ununterbrochener, als von aus=
setzender Drehung hatte man seit langer Zeit wegen
ihrer Mängel aufgegeben. In der neuern Zeit mach=
ten einige Practiker großartige Versuche, um sie wie=
der in Gang zu setzen, indem sie dieselben zu verbes=
sern bemüht waren, aber ihr Unternehmen mißlang
und nur Mariette brachte es dahin, seine Taschen=
pistole in Aufnahme zu bringen. Dieses war aller=
dings noch wenig.

Plötzlich geriethen die Staaten, welche aus den
Trümmern der Republik Columbia hervorgegangen
waren, in Krieg; es entstanden Uneinigkeiten zwi=
schen den Vereinigten Staaten und Mexiko, wegen
des Besitzes von Texas; es entstanden auch Uneinig=
keiten zwischen den verschiedenen Provinzen von
Guatemala oder der Conföderation von Centralame=
rika; das südliche Amerika wurde durch revolutionäre
Gährungsstoffe in Aufregung versetzt; durch die Ent=
deckung zahlreicher Goldlager entstanden Wanderun=
gen von allen Puncten der Erde nach den Goldgru=
ben Californiens; endlich versuchte eine Bande Frei=
beuter von nordamerikanischen Häfen aus eine In=
vasion der Insel Cuba, der Königin der Antillen.
Unter solchen Umständen kam der Revolver des Hrn.
Colt zum Vorschein und in der That war keine Zeit
dazu günstiger, denn in diesen Ländern, von denen
die einen kaum civilisirt waren und die andern in
Bezug auf ihre Oberfläche noch eine sehr geringe Be=
völkerung besaßen, mußte jedermann, da das Gesetz
häufig nicht im Stande war, die Staatsbürger zu

schützen und unter diesen Wirrsalen daran denken, sich selbst zu vertheidigen.

Wir müssen bekennen, daß Herr Colt mit einem sehr richtigen Tact den günstigen Augenblick ergriffen hatte; aber die Industrie und besonders die Fabrication der Feuerwaffen, machte seit einer gewissen Reihe von Jahren zu große Fortschritte, als daß irgend eine Verbesserung unfruchtbar bleiben sollte. Es stand demnach zu erwarten, daß nach der Erscheinung des Revolver's des Hrn. Colt diese Waffe bald modificirt und vervollkommnet werden würde. In der That machten sich auch die Erfinder und die practischen Männer entschlossen an's Werk und einige von ihnen haben ihre Versuche mit Erfolg gekrönt gesehen.

Der Revolver des Herrn Joseph Lang.

Diese Pistole ist mit aussetzender Drehung eingerichtet. Da der Erfinder die Anwendung des Ladestocks und folglich auch diejenige des Hebels verworfen hat, so ist der ebene Theil des Systems, — indem das Gestell am Laufe sitzt, — bei Weitem nicht so voluminös, wie bei dem Revolver des Hrn. Colt; dabei nimmt der Durchschnitt der hintern Mündung des Laufes ein Wenig die Gestalt des Schaftes eines umgekehrten Kegels an, d. h., er ist versenkt.

Der Drehapparat, welcher aus einem Block besteht, mit zwei Cylindern, welche dieselbe Achse, aber verschiedenen Durchmesser haben, bewegt sich auf einer Achsenspindel und der Lauf wird auf der Achse durch einen Schieber mit Splint festgehalten.

Die Röhren oder Kammern sind im vordern Cylinder, nämlich in demjenigen vom größten Durchmesser angebracht. Die Mündung der Röhren ist ausgerichtert, um den hintern Durchschnitt des Laufes aufzunehmen, der in diese Oeffnung eintritt. Der Zweck dieser Einrichtung ist darauf berechnet, das Ausspritzen und den Verlust der Pulvergase zu verhindern. Der Eintritt des Laufes wird durch eine besondere Feder regulirt.

Die Zündkegel sind in verticaler Richtung am hintern Cylinder, nämlich demjenigen von kleinerm Durchmesser, angebracht.

Die Batterie tritt hinter der Trommel in Thätigkeit.

Der Hahn spielt an der rechten Seite der Waffe.

Die Vorzüge und Mängel dieses Revolver's bestehen nun in Folgendem:

Sein Gang ist vortrefflich, sein Abdruck ist kräftig und sanft, sein Schuß regelmäßig und äußerst genau; die Waffe ist einfach, sehr bequem zu handhaben und viel leichter, als diejenige des Hrn. Colt.

Dagegen können, da die Zündkegel nicht untereinander geschützt sind, mehre Zündhütchen sich zu gleicher Zeit entzünden. Bei dem verticalen Stande der Zündkegel sind die Zündhütchen während der drehenden Bewegung in Gefahr abzufallen. Der Hahn hat für's Auge nichts Angenehmes; er zieht sich schwierig auf, indem sein Kamm zu stark nach hinterwärts geneigt ist und dem Finger nicht genugsamen Anhalt gewährt; seine Nähe an der Visirlinie behindert oder erschwert wenigstens das Visiren; endlich hat eine kleine Feder, die am Anfange des Kolbens liegt, um zu verhindern, daß der Hahn nicht auf dem Zündhütchen aufruht, eine schlechte Wirksamkeit und geräth leicht in Unordnung.

Im Ganzen ist es unbegreiflich, daß man eine Waffe nicht besser zu benutzen verstanden hat, die zwar bei einigen Mängeln dennoch sehr wichtige Elemente des Gelingens darbietet.

Der Revolver des Herrn J. Barnett.

Diese Pistole ist mit ununterbrochener Drehung eingerichtet und braucht nicht durch eine besondere Bewegung gespannt zu werden. Außerdem hat Herr Barnett die Anwendung des Ladestockes und des Hebels am Revolver des Herrn Colt ganz weggelassen.

Die Achsenspindel ist ersetzt durch eine Verlängerung des Laufes. Diese übrigens wenig voluminöse Verlängerung befindet sich unter dem Laufe, durchsetzt die Trommel und schließt sich hinter dem Drehapparate an das Schloßblech an; endlich ist sie mit einer Spitze in Gestalt einer Lanze versehen, welche zum Aufbrechen der Patronen dient, die man bei dieser Waffe anwendet.

Der Lauf ist inwendig glatt, d. h. ohne Züge. Die Trommel hat eine ähnliche Gestalt, wie an dem Revolver von Joseph Lang.

Die Theile der Batterie treten hinter der Trommel in einem Schloßbleche, welches gleich dem Griffe rund ist, in Wirksamkeit, und der Hammer des Hahns bewegt sich in einer verticalen Ebene zur Axe der Waffe.

Da diese Pistole nicht aufgezogen zu werden braucht, so ist ihr Gang weit vorzüglicher als bei derjenigen von Mariette. Sie ist weit leichter, bequemer zu handhaben, leichter zu transportiren, von einfacherer Gestalt und Aussehen als alle Waffen, von denen wir bis jetzt gesprochen haben. Leider kann man auf sie denselben Tadel anwenden, wie auf diejenigen von Joseph Lang, besonders hinsichtlich der Einrichtung der Zündkegel, wie auch hinsichtlich des Ganges einer kleinen Sicherungsfeder.

Wir müssen noch hinzufügen, daß der Mechanismus des Schlosses, wegen seiner Complication

häufig in Unordnung geräth; endlich hindert die
Art und Weise, wie der Hammer angebracht ist, gar
sehr bei'm Visiren, weil die Visirlinie, wenn man
das Korn sucht, über einen Zwischenraum, welcher
in der Masse des Hahnkörpers ungefähr wie das
Loch des Diopters des Graphometers angebracht ist,
weglaufen muß.

Es wäre sehr zu wünschen, daß Modificationen
an einer Waffe angebracht würden, deren werthvolle
Eigenschaften diese Mängel sehr fühlbar machen.

Der Revolver von Adams=Deane. (Fig. 2.)

Den Herren Adams und Deane verdanken
wir die Verwirklichung der Hoffnungen, die wir
in Betreff der Vervollkommnung der Revolvers ge=
faßt hatten. Wir wollen uns indessen deutlicher er=
klären: indem die genannten Männer die verschie=
denen Systeme von Drehwaffen, welche schon vor
Colt bekannt waren und von denen er, obschon er
es leugnet, Vieles entnommen hat, mit einander
verbanden und coordinirten, und indem sie gewisse
von ihnen erfundene Modificationen dabei anbrach=
ten, haben sie endlich eine Pistole hergestellt, die in
ihrer Art fast nichts zu wünschen übrig läßt, denn
sie ist fast von allen den zahlreichen Mängeln des
Revolver's des Herrn Colt frei und besitzt zugleich
die meisten Vorzüge, welche dieser Waffe eigenthüm=
lich sind.

Da man glauben könnte, daß wir zu dieser
Behauptung durch eine besondere Einwirkung ver=
anlaßt worden seien, so wollen wir, ehe wir uns
ausführlicher über den Revolver von Adams=
Deane verbreiten, einen Auszug des Morning-Chro-
nicle vom 7. October 1851 mittheilen und dann
dem Leser ein Protocoll vorlegen, in welchem das
Ergebniß comparativer Versuche niedergelegt ist, die

im Arsenale zu Woolwich bei London mit den Revolvers von Colt und von Adams=Deane, in Gegenwart mehrer wissenschaftlicher Männer Englands, angestellt worden sind.

Auszug aus dem Morning-Chronicle vom 7. October 1851.

„Die Herren Deane, Adams und Deane, von King William Street in London, haben auf der Ausstellung eine Pistole mit drehbarem Cylinder, die ohne Zweifel bald die berühmte Pistole nach dem Systeme des Herrn Colt verdunkeln wird.

„Der erste Punkt, wodurch sich diese Pistole von derjenigen des Herrn Colt unterscheidet, besteht darin, daß der Lauf und das Gestell aus einem einzigen Stücke sind und folglich größere Festigkeit besitzen.

„Der Cylinder wird in seiner Stelle durch eine bewegliche Achse erhalten, welche durch den Mittelpunct des Gestelles und des Cylinders läuft, und auf welcher der letztere sich drehet. Da die Achse durch eine Feder festgehalten wird, welche verhindert, daß dieselbe zufällig herausgezogen werden kann, so behauptet sie eine feste Stellung.

„Man bedient sich zum Laden keines Ladestockes, indem ein schwacher Druck mit dem Finger ausreichend ist, um die Patrone, oder die mit einem Futter versehene Kugel fest in die Kammern hinabzuschieben.

„Da der Lauf ein etwas geringeres Caliber als die Kammern hat, so werden alle Vortheile des festen Sitzes der Kugeln beim Schießen erlangt.

„Die Wirkung des Abzuges ist eine dreifache: sie versetzt den Cylinder in Drehung, spannt den Hahn und drückt ihn ab. Dadurch ist ganz speciell das Zurückschnellen des Hahnes verhindert.

Schauplatz, 222. Bd.   4

„Die Unsicherheit, welche das Abschießen bei den meisten anderen Arten von Pistolen mit drehbarem Cylinder begleitet, ist hier ganz beseitigt, denn der Zwischenraum, welcher zwischen dem Ende des Cylinders und dem Gestelle Statt findet, ist so klein, daß keine Trümmer der zerplaßten Zündhütchen sich zwischen die Einfügung des Hahnes setzen können, wodurch der Hahn verhindert werden könnte, beim nächsten Schusse auf das Zündhütchen niederzuschlagen.

„Diese Pistole ist von einer äußerst einfachen Construction: sie hat in ihrem Innern keine einzige Schraube und ihr Mechanismus besteht nur aus drei Hauptstücken.

Das Gewicht einer Pistole von Adams= Deane mit fünf Schüssen und einem Caliber von 32 Kugeln auf's Pfund beträgt 2 Pfund und 28 Loth, während dasjenige einer Pistole von Colt mit sechs Schüssen und einem Caliber von 60 Kugeln auf's Pfund 4 Pfund 12 Loth beträgt.

„Wenn die Pistole von Adams=Deane von der Cavallerie angewendet wird, so hat sie noch den Vorzug vor derjenigen von Colt, daß der Cavallerist zum Spannen des Hahnes nicht die Hand anwenden muß, welche den Zügel führt.

„Die Herren Adams, Deane u. Comp. sind jetzt damit beschäftigt, in einem großen Maßstabe dasselbe System auf Carabiner und gezogene Schießgewehre anzuwenden, und wir glauben, daß das Ergebniß der zu Woolwich angestellten Versuche von der obersten Militärbehörde als vollkommen zufriedenstellend betrachtet worden ist."

Wenn dieser Artikel auch nicht so ausführlich und gründlich abgefaßt worden ist, als man es wünschen könnte, so ist er doch wenigstens mit einer Vorsicht und einer Würde abgefaßt, die merkwürdig contrastiren mit dem volltönenden, declamirenden, prahlenden und übertreibenden Ton, kurz mit der Charlatanerie des Prospectus des Herrn Colt.

Jetzt wollen wir nun zu dem oben erwähnten Protocoll übergehen, zuvor aber erklären, warum die Herren Adams=Deane es für zweckmäßig erachtet haben, das oben erwähnte Probeschießen, welches sie in Betreff des amerikanischen Revolver's und ihres eigenen veranlaßt hatten, mit allen nöthigen For=malitäten zu umgeben, damit dieser Versuch den Character einer Handlung von notorischer Oeffent=lichkeit erhalten möchte.

Der Engländer nimmt trotz seines scheinbaren Phlegma's doch schnell leidenschaftliche Partei und kommt nur langsam von seinen vorgefaßten Mei=nungen zurück, mögen dieselben nun einer Sache günstig oder ungünstig sein.

Als der Revolver des Herrn Colt in England eingeführt wurde, hatte er schon seine Probe in Amerika bestanden. Begünstigt durch diesen entfern=ten Ruhm und durch das Blendwerk des Rufes, wie auch durch die Uebertreibungen der Presse, fand er bei der großen Masse die schmeichelhafteste Auf=nahme. Und endlich hatte Obrist Colt es nicht verschmähet, seine Waffe unter den Schutz hoher Würdenträger der Armee zu stellen. Gegenüber einer so festen Stellung sahen die Herren Adams=Deane recht wohl ein, daß man einen großen Schlag thun müsse, und diesen führten sie auch aus.

4*

Protocoll, das Ergebniß der Versuche enthaltend, die mit Pistolen mit drehbarem Cylinder angestellt worden sind.

Arsenal von Woolwich bei London.
Es versammelten sich heute am 10. September 1851 zu einem Probeschießen um 10¼ Uhr, um den Versuchen beizuwohnen, welche mit dem Revolver des Herrn Sam. Colt, verglichen mit demjenigen der Herren Adams-Deane angestellt werden sollten, der Generallieutenant Sir Thomas Downman, der Generalmajor Fox, der Obrist Dundas, Obristlieutenant Chalmer, Unterdirector der Artillerie, der Obristlieutenant Burn, die Hauptleute von der Königl. Artillerie, Wingfield und Anderson, der Hauptmann der Garde-Grenadiere Fox, der Hauptmann March, eine Menge anderer Officiere; ferner die Herren Lawrence jun., Sohn des amerikanischen Gesandten, Sam. Colt von New-York, Adams, Lovell, Generalinspector der Feuerwaffen und mehre wissenschaftliche Notabilitäten.

Die Versuche begannen um 11 Uhr, und das Schießen fand Statt auf eine Scheibe von 6' in's Quadrat und 50 Meter Entfernung.

Pistole des Herrn Colt, von ihm selbst abgeschossen.

Zeit, welche erforderlich war zu 6 Schüssen.	58 Secunden.
Zeit, welche zum Schießen verwendet wurde, indem man sich beider Hände zum Spannen bediente.	11 Secunden — die Scheibe wurde nicht ein einzig Mal getroffen.
Von Neuem geladen, um die Genauigkeit des Schießens mit der Auflage darzuthun.	Die Scheibe wurde 5 Mal getroffen, der sechste Schuß versagte.

Abermals frisch geladen, um die Eindringungskraft zu zeigen, wenn auf ein ulmenes Bret von 1 Zoll Dicke und 18 Zoll Breite geschossen wurde, welches vor die eiserne Scheibe gestellt wurde.

Fünf Schüsse versagten, der sechste hat das ulmene Bret nicht getroffen.

Die Pistole wurde verändert, nochmals geladen und unter den vorherigen Bedingungen mit Spitzkugeln abgefeuert.

Kein Schuß hat das Bret getroffen.

Abermals geladen und geschossen.

Kein Schuß hat das Bret getroffen.

Nochmals geladen und vom Obrist Alexander abgeschossen.

Das Bret wurde jedesmal getroffen u. durchbohrt.

Wiederum geladen und die Mündung der Pulversäcke auf ⅔ ihrer Länge in Wasser getaucht, um darzuthun, daß die Feuchtigkeit kein Versagen zur Folge hat.

Vier Versager, zwei Schüsse gingen los.

Pistole von Adams-Deane, von einem Arbeiter abgeschossen.

Zeit, welche erforderlich war zu fünf Schüssen.

38 Secunden, also 46 Secunden für 6 Schüsse.

Zeit, welche zum Schießen verwendet wurde mit einer einzigen Hand.

4 Secunden ob. 5 Secunden für 6 Schüsse. Die Scheibe wurde jedes Mal getroffen.

Von Neuem geladen, um die Genauigkeit des Schießens mit der Auflage darzuthun.	Die Scheibe jedes Mal getroffen, ein Schuß in's Weiße und die andern 10 bis 12 Zoll vom erstern.
Abermals geladen und unter den obigen Bedingungen abgeschossen, um die Eindringungskraft mit runden Kugeln zu zeigen, welche weniger vortheilhaft sind.	Das ulmene Bret wurde m. jedem Schuß getroffen und durchlöchert.
Wiederum geladen und unter den vorherigen Bedingungen, aber mit Spitzkugeln abgeschossen.	Das Bret wurde jedes Mal getroffen und durchbohrt, indem sich die Kugeln an d. eisernen Scheibe breit geschlagen hatten und ihre Trümmern weit umhergeworfen wurden.

Die Personen, welche den Versuchen beiwohnten, waren einstimmig von der Vorzüglichkeit der Pistolen von Adams=Deane überzeugt und hielten es nicht für nöthig, die Versuche weiter fortzusetzen *).   (Hier folgen die Unterschriften.)

---

*) Unter 25 Schüssen, die bei einem andern Versuche ebenfalls zu Woolwich gethan wurden, ferner unter 70 Schüssen, welche zu Enfield gethan wurden, unter 50 Schüssen, zu Woolwich vom Sergeanten Backer abgefeuert, unter 50 Schüssen, ebenfalls zu Woolwich vom Hauptmann Brandling und endlich unter 5 Schüssen auf der Ausstellung zu Cork, war kein einziger Versager. Bei diesem letzten Versuche, auf Verlangen der Militär=Commission und in Gegenwart des Obrist Chesney angestellt, hatte die Pistole von Adams=Deane durch ihre genauen Schüsse auf 100 Meter ohne Auflage vor allen gezogenen Büchsen mit Auflage auf 200 Meter abgefeuert den Vorzug.

Aus diesen Versuchen geht hervor, — Herr
Colt kann die Richtigkeit und Aechtheit nicht leug=
nen, weil er selbst dabei zugegen war, — daß der
Revolver von Adams=Deane einen äußerst rich=
tigen Schuß und eine vorzügliche Eindringungskraft
besitzt; daß er ziemlich so weit trägt, als derjenige
des Herrn Colt; daß er sich schneller ladet und bei
Weitem nicht so oft versagt, als letzterer. Dieses
vorausgeschickt, sprechen wir nun unsere mit Grün=
den unterstützte Meinung über den Revolver, von
welchem eben die Rede ist, dahin aus:

Die Pistole von Adams=Deane ladet sich
mit der größten Leichtigkeit, mag man nun den Cy=
linder herausnehmen, oder ihn an seiner Stelle lassen.
Ihre Form, die im Ganzen zierlich zu nennen ist,
macht sie geschickt, sowohl in den Pistolenhalftern,
als auch im Gürtel oder in der Tasche getragen zu
werden, ohne daß, in Folge der angebrachten Ver=
vollkommnungen, irgend eine Gefahr zu fürchten
steht. Das Feuern mit derselben, welches in der
That ein ununterbrochenes Feuern genannt werden
kann, ist im Falle der Noth ebenso rasch, als die
Bewegung des Fingerdrucks auf den Abzug erfolgt,
wie bei der Pistole des Herrn Mariette, von wel=
cher er einen Theil des Mechanismus der Batterie
entlehnt, dabei jedoch die Einrichtung des hammer=
artigen Hahnes verändert hat.

Die Tragkraft dieser Pistole ist sehr beträchtlich,
denn sie ist noch wirksam auf 100 Meter. Endlich
steht sie, hinsichtlich der Richtigkeit ihres Schusses, in
der Hand eines sachverständigen Schützen, kaum den
besten Schießgewehren nach.

Die Pistole von Adams=Deane besteht aus
fünf Haupttheilen, nämlich aus dem Lauf und dem
Gestell, aus dem Cylinder, aus der Achsenspin=
del, aus der Batterie und aus dem Griff.

Der Lauf. — Der Lauf ist gewöhnlich aus
Schmiedeeisen gefertigt; er ist in seiner ganzen Länge
cylindrisch, oder stellt auch ein regelmäßiges Prisma
dar, wenn er mit winklichen Flächen versehen ist.
Sein Caliber ist stärker, als dasjenige des Laufes
der Colt'schen Pistole, indem er Kugeln schießt, von
denen 32 auf's Pfund gehen, während die Colt=
sche Pistole Kugeln schießt, von denen 60 auf's
Pfund gehen. Wir reden hier nämlich von ganz
entsprechenden Modellen.

In Betreff der vorderen Mündung bietet der
Lauf nichts Besonderes dar; aber an der hinteren
Mündung ist er mit einer eisernen Schiene oder
Band aus einem einzigen Stück versehen, welches
das Gestell bildet und sich hinter und unter dem
Cylinder verlängert, um sich durch einen unregel=
mäßigen Theil mit dem Laufe zu verbinden.

Hinten ist das Gestell mit dem Holze durch
drei Schrauben verbunden. An diesem Theile befin=
det sich die Batterie. Vor und unter dem Lauf ist
die Achsenspindel von einem Canal für das Gestell
durchsetzt. Unten ist es mit einem Bügel über dem
Abzuge versehen. Der leere Raum im Gestell stellt
ein vierseitiges Rechteck dar.

Die Trommel ist, wie bei den Pistolen von
Lenormand, Herrmann, Rissac und Colt,
aus einem cylindrischen Block von Schmiedeeisen
gefertigt, in welchen fünf kleine Röhren gebohrt
sind. Jede dieser Kammern läuft am hinteren Ende
in einen Zündcanal aus, der zu gleicher Zeit den
Pulversack bildet, welche Idee schon von Colt, aber
früher noch von Mariette benutzt worden ist.

Die Achse besteht bloß aus einer eisernen
Spindel, auf welcher sich die Trommel bewegt; sie
ist also die Achse des Apparates und zu gleicher Zeit
sein Zapfen während der Umdrehungsbewegung.

Das Ende des Zapfens sitzt in dem hintern Theile des Gestelles und der Vordertheil der Spindel ist mit einem Knopfe versehen. Dieser Knopf ist breit gedrückt und rund; er ist an der Laufseite eingeschnitten nach einem der Form des Laufes ähnlichen Ausschnitt, so daß letzterer das Ansehen hat, als ob er in diesem künstlichen Lager liege, welches für den einzigen Zweck angebracht ist, um der Spindel ein leichtes Spiel zu gewähren, wenn man den Apparat auseinander nehmen will. Die Spindel durchsetzt vorn das Gestell, dann den Block des Cylinders. Sie hat zwei Einschnitte in ganz entgegengesetzten Richtungen: die erstere hält sie fest hinter dem Gestell und die zweite soll verhindern, daß sie aus ihrem Lager weiche. Für diesen Zweck hat man auf der rechten Seite und vor dem Gestell eine kleine Feder angebracht, deren Spitze in diesen Einschnitt wie ein Sperrkegel eingreift; indessen zieht sich die Spindel leicht zurück, wenn man dieses beabsichtigt. -

Die Batterie, welche sich durch ihre Einfachheit auszeichnet, sitzt am massiven Theile der hinteren und unteren Gestellportion. Sie besteht bloß aus einem Hahn, einer Schlagfeder, einer Stangenfeder, einer Kette, einem Hebel und einem Abzuge.

Der Hahn bildet an seinem unteren Theile die Nuß und an seinem oberen den Hammer; um auf das Zündhütchen zu schlagen, dringt er durch ein Loch, welches im hinteren und massiven Theile des Gestelles angebracht ist.

Die Nuß ist mit der Schlagfeder durch die Kette verbunden.

Der Abzug steht in Verbindung mit dem Hebel. Sobald man einen Druck auf den Abzug ausübt, bewegt der Hebel den Cylinder, wie das Schlagrad einer Uhr und zwar mittelst einer Verzahnung, welche an der hintern Seite der Trommel angebracht

ift; er dreht ihn dergestalt und hält ihn so, daß
jeder Zündkegel sich gerade in dem Augenblicke, wo
der Hahn die Spannrast verläßt, dem Hammer ge=
genüber befindet. Nachdem abgedrückt worden ist,
vermindert man den Druck des Fingers, um den
Abzug wieder zurückspringen zu lassen, was augen=
blicklich geschieht, und sobald der Abzug seinen frü=
heren Stand wieder eingenommen hat, braucht man
nur neuen Druck anzuwenden, um jeden Zündkegel zu
nöthigen, seine Stelle dem Hammer gegenüber einzu=
nehmen. Was nun bei dieser Einrichtung am Mei=
sten bewundert werden muß, ist der Umstand, daß
die Bewegung, welche den Hahn abdrückt, nachdem
sie ihn gespannt hat, zugleich auch die Trommel in
der Weise bewegt, daß die Axe der Röhre, deren
Zündhütchen den Schlag des Hammers empfängt,
mit der Axe des Laufes genau zusammenfällt; und
alles dieses erfolgt gleichzeitig und so schnell wie der
Blitz.

Was nun den Griff anlangt, so besitzt derselbe
eine Form, die zu große Aehnlichkeit mit derjenigen
einer gewöhnlichen Pistole hat, als daß sie hier der
Gegenstand einer besondern Bemerkung sein könnte;
indessen werden wir später wieder darauf zurück=
kommen.

Endlich hat man an der linken Seite und gegen
den hinteren Theil des Gestelles eine äußere Feder
angebracht. Diese Feder ist zugleich mit einem klei=
nen Stifte versehen, welcher mittelst eines schwachen
Druckes durch ein Loch die Seite des Gestelles durch=
dringt und sich unter das Hahnmaul setzt, so daß er
für letzteren Theil eine Art von Rast bildet. Wenn
man den Hahn auf diese Weise in Ruhe bringen
will, entweder um auf die Zündkegel Zündhütchen
zu setzen, oder die Röhren des Cylinders zu laden,
oder endlich, um zu verhindern, daß der Hammer

auf die Zündhütchen schlägt, so hebt man den Hahn
ein Wenig empor, drückt auf die Feder und läßt den
Hahn auf den Stift wieder nieder; alsdann bewegt
sich der Cylinder nach Belieben.

Das Laden. — Nachdem man die Waffe aus=
geflammt hat, löst man die Spindel, hebt den Cy=
linder aus, ladet die Röhren, bringt den Hahn in
Ruhe, setzt den Cylinder wieder ein und versieht die
Zündkegel mit Zündhütchen. Will man aber laden,
ohne den Cylinder herauszunehmen, so verfährt man
auf dieselbe Weise, nur mit dem Unterschiede, daß
man weder die Spindel, noch auch die Trommel be=
rührt, wenn man nicht etwa letztere in Umdrehung
versetzen will.

Wenn man die Waffe geladen tragen will, muß
man die Sorgfalt anwenden, den Stift der Feder
in das Hahnmaul zu drücken.

Will man abfeuern, so braucht man nur auf
den Abzug zu drücken und sogleich hört die Wirkung
der Feder auf, der Hahn wird gespannt und wird
abgedrückt.

Das Zerlegen. — Man drückt auf die Fe=
der, bringt den Hahn in Ruhe, um dem Cylinder
die Fähigkeit zu lassen, sich zu bewegen, zieht die
Spindel aus ihrem Canale und nimmt die Trom=
mel ab.

Wichtige Bemerkung. — Wenn man die
fünf Röhren innerhalb zweier Minuten zwei Mal
laden und abschießen kann, folglich mit dem Re=
volver von Adams=Deane in dieser kurzen Zeit
zehn Schüsse thun kann, so rührt dieser Vortheil
großentheils von der mit Pfropf versehenen Ku=
gel her.

Die mit Pfropf versehene Kugel, sei sie nun
rund, oder conisch=cylindrisch oder von irgend einer
Form, unterscheidet sich nur dadurch von den andern

Kugeln, daß sie mit einem kleinen Zapfen versehen ist, an welchem ein Futter befestigt wird, und darin beruht ihre ganze Eigenthümlichkeit.

Wie erhält man aber die Kugeln mit Zapfen? Indem man sie in einer besondern Form gießt.

Worin besteht das angewendete Futter? Dasselbe besteht aus einer Scheibe von Filz, Pappe oder Leder, oder auch aus jeder andern Substanz, welche ein Wenig Consistenz darbietet. Das Ausschlageisen, dessen man sich für diesen Zweck bedient, muß mit einer besondern Spitze versehen sein, welche die Scheibe fast unmerklich durchlöchert und dadurch den Mittelpunct anzeigt.

Wie befestigt man nun das Futter an der Kugel? Indem man die Spitze des Zapfens in die Mitte des Futters einfügt und auf der andern Seite des Futters diese Spitze abstumpft, wodurch die Kugel gleichsam mit dem Futter vernietet wird.

Die Kugel wird dergestalt in die Röhren eingesetzt, daß das Futter zu unterst, also auf das Pulver zu liegen kommt, und bloß durch den Druck des Fingers bekommt sie eine angemessene feste Lage in dem unteren Theile der Kammern. Da nun noch das Pulver durch einen Körper etwas zusammengedrückt wird, so bleibt kein Ausweg für die Gase übrig, und da das Futter, weil es fest an der Kugel hängt, während seines Laufes durch den Canal der Röhre und des Laufes immer eine Lage behält, die zur Achse des Apparats senkrecht ist, so waltet keine Möglichkeit vor, daß ein Theil der Gase entweichen könne, und daraus erklärt sich der genaue Schuß, die weite Tragkraft und die Durchdringungsfähigkeit, welche der Revolver von Adams-Deane besitzt.

Aber man bedarf, wird man nun einwenden, einer besondern Gießform.

Mein Gott! bedarf man nicht auch einer besondern Gießform, um Kugeln eines Calibers, von denen 60 auf's Pfund gehen, zu erhalten? Warum sollte man sich mit dem Hebel und dem Ladestocke des Herrn Colt belästigen, wenn man sie ohne Nachtheil entbehren kann?

Wenn man nun die Kugeln mit Zapfen verschossen hat, wie soll man alsdann die Pistole von Adams-Deane laden?

Eigentlich gilt hier die Regel, nicht ohne Munition auszugehen, sobald man in den Fall kommen kann, von seiner Waffe Gebrauch zu machen; übrigens läßt sich bei der Pistole von Adams-Deane jede andere Art von Kugeln sehr gut benutzen, indem man bloß einen Papierpfropf auf's Pulver setzt und einen andern auf die Kugel, womit die ganze Sache abgethan ist.

Parallele zwischen der Pistole des Herrn Colt und derjenigen von Adams-Deane.

Zuvörderst bitten wir den Leser, daß er einige unerläßliche Wiederholungen entschuldigen möge.

Die Herren Adams-Deane wenden ebenso wie Herr Colt ohne Unterschied runde Kugeln und Spitzkugeln, oder andere an.

Adams-Deane hat dreierlei Modelle von Pistolen, welche den Sattelpistolen, den Gürtelpistolen und den Taschenpistolen des Herrn Colt entsprechen, nur sind sie weniger lang und viel bequemer.

Die Pistolen von Adams-Deane sind leichter, als diejenigen von Colt. Die Nr. 1, z. B., wiegt vollkommen geladen 3 Pfund, während dieselbe Nr. des Herrn Colt 4½ Pfund wiegt, und so verhält es sich nun auch mit den andern Nummern. Es ist übrigens zu bemerken, daß der Wegfall des

Hebels und des Ladeſtocks, ferner des halbkugelförmigen Theiles der meſſingenen Garnitur, mit welcher
die Colt'ſche Piſtole überladen iſt, beträchtlich zur
Erleichterung der erſtgenannten beitragen.

Das Caliber der Piſtole von Adams-Deane
iſt weit ſtärker, als dasjenige des Colt'ſchen Revolver's, indem die erſtere Kugeln ſchießt, von denen
32 und die letztere, von denen 60 auf's Pfund gehen.

Mit der Piſtole von Adams-Deane ſchießt
man unendlich ſchneller, als mit derjenigen von Colt;
letztere Piſtole muß nämlich nach jedem Schuſſe geſpannt werden, während die erſtere immer bereit iſt,
augenblicklich abgefeuert zu werden, indem nämlich
die Bewegung, mit welcher der Abzug den Hahn abdrückt, auch dazu dient, ihn wieder aufzuziehen oder
zu ſpannen. Um der Wahrheit die Ehre zu geben,
müſſen wir hier bemerken, daß im Principe und bis
auf geringe Modificationen das Verdienſt dieſer Einrichtung Herrn Mariette zukommt; aber wir ſprechen hier nicht von dem größern oder geringern Genie der Erfinder, ſondern von dem innern Werthe
der Waffen.

Die Piſtole von Adams-Deane läßt ſich weit
ſchneller laden, als diejenige von Colt. Wenn man
die letztere laden will, muß man den Hebel losma-
chen, den Ladeſtock in Bewegung ſetzen und die Kugeln in die verſchiedenen Kammern des Cylinders
treiben. Um dagegen die mit dem Futter verſehene
Kugel in die Kammern der Piſtole von Adams-
Deane einzubringen, bedarf es bloß eines Finger-
druckes *).

---

*) Bei den Piſtolen von Adams-Deane kann man
auch ein beſonderes Ladeſtöckchen anwenden, aber man bedient
ſich deſſelben nur, wenn man dazu hinlängliche Zeit hat.

Die Pistole von Adams=Deane ist nur auf
fünf Ladungen eingerichtet, während diejenige von
Colt für sechs Ladungen gebohrt ist; aber dieser
Nachtheil wird reichlich aufgewogen durch die Diffe=
renz des Calibers, durch einen unbestreitbaren Vor=
zug in der Schnelligkeit des Schießens und durch
eine sehr merkliche Differenz in der Schnelligkeit des
Ladens.

Die Pistole von Adams=Deane ist weit so=
lider, als diejenige von Colt, denn sie wackelt nicht
gleich letzterer in Folge mangelhafter Verbindung der
Schäftung mit dem Schloßbleche.   Ihre Form ist
geschmackvoller, wohlgefälliger, zweckmäßiger, weßhalb
sie auch leichter zu handhaben ist und bequemer ent=
weder in den Pistolenhalftern, in der Tasche oder
im Gürtel getragen werden kann.   Diese Form ge=
stattet auch noch, im untern Theile der Schäftung
in Gestalt einer Kappe ein Zündhütchenmagazin an=
zubringen,   welche Einrichtung bei der Colt'schen
Pistole sich nicht anbringen läßt, indem ihre hölzerne
Schäftung von einem metallenen Bande umgeben
ist und in derselben, mit Ausschluß jedes andern Zu=
satzes, eingelassen worden ist.

Bei der Pistole von Adams=Deane ist der
Raum zwischen dem hintern Theile des Drehcylin=
ders und des Gestelles zu spärlich, als daß die
Splitter der Zündhütchen hier eindringen könnten;
übrigens sind die Muscheln, welche die Zündkegel
gegen jede Communication untereinander schützen
sollen, ziemlich tief ausgeschnitten, so daß sie dem
durch den Schlag des Hammers zertrümmerten Zünd=
hütchen auf der rechten Seite der Waffe nach jeder
Explosion zu fallen gestatten, und es ist deßhalb keine
Gefahr des Versagens vorhanden; auch wird die
Trommel in ihrer Bewegung niemals gehemmt. Nun
haben wir aber schon die Bemerkung gemacht, daß

die Colt'sche Pistole von dergleichen Unannehmlich=
keiten keineswegs frei ist.

Da die Bewegung, welche den Revolver von
Adams=Deane spannt, auch dazu dient, den Hahn
auf den Zündkegel niederschlagen zu lassen, so ist
die Folge davon, daß während der dreifachen und
beinahe gleichzeitigen Operation des Spannens,
Visirens und Schießens eine geringe Erschüt=
terung in der Waffe entsteht. Anderntheils läßt
sich nicht leugnen, daß der lange, auf den Abzug
auszuübende Druck, um das Abfeuern zu bewirken,
die Ursachen des Abweichens von der Visirlinie ver=
mehrt, indem die Hand schnell ermüdet und nicht
lange Zeit unbeweglich bleiben kann. Diese Pistole
scheint also auf den ersten Blick nicht die günstigen
Bedingungen für das richtige Schießen oder mit an=
dern Worten die Bedingungen darzubieten, unter
welchen man ebenso richtig visiren kann, wie dieje=
nigen der Colt'schen Pistole. Aber mit ein wenig
Uebung wird der Schütze bald dahin gelangen, mit
der einen Waffe vollkommen so richtig, wie mit der
andern zu schießen. Für diesen Zweck muß er sich
daran gewöhnen, bei der Pistole von Adams=Deane,
während er den Lauf in der Richtung des Zieles er=
hebt oder herabsinken läßt, auf den Abzug nur einen
Druck auszuüben, der im Stande ist, den Hahn in
die Spannrast zu bringen, und hier hält er nun un=
gefähr eine Secunde lang an, um entweder seine
Hand zu sichern oder ein richtiges Visir zu bekom=
men, worauf er abfeuert, indem er unmerklich und
nicht ruckweise den Druck des Fingers verstärkt. Wenn
man auf diese Weise verfährt, so wird man bald
dahin gelangen, regelmäßige Schüsse zu thun.

Es läßt sich aber noch ein wichtigerer Tadel
gegen die Pistole von Adams=Deane aufbringen.
Bei dieser Waffe besitzt nämlich derjenige Theil des

Abzugs, in welchen der Finger zu liegen kommt,
eine runde, nämlich eine sehr concave Gestalt. Indem der Finger am Abzuge liegt, ist er mehr als
halb gebogen; er hat also schon viel von seiner Wir-
kungsfähigkeit verloren, und man ist deßhalb genöthigt, wenn man den Druck ausüben will, eine zu
starke Anstrengung zu machen, welche, indem sie sich
dem Finger der Hand mittheilt, eine Erschütterung
der Waffe unvermeidlich hervorbringt. Wir wundern
uns, daß die Herren Adams-Deane noch nicht
daran gedacht haben, diesen Mangel zu beseitigen.
Für diesen Zweck wäre es schon genügend, die Krümmung des Abzuges ungefähr um 2 Centimeter gerader zu machen, etwas mehr oder weniger, wodurch
der Abzug beinahe gerade werden würde, auch indem
man den Bügel mehr nach Vorwärts versetzte, oder
um eben so viel den Abzug nach Rückwärts brächte,
um eine Entfernung zu erlangen, bei welcher der
Finger bequem zwischen diese beiden Stücke gelangen
könnte. Als wir Gelegenheit hatten, bei Herrn Mangeot, Büchsenmacher zu Brüssel, einem Manne, welcher seine Kunst mit gleicher Liebe betreibt, wie ehe-
dem die Meister der Renaissance, — als wir Gelegenheit hatten, einen Revolver nach dem Systeme
von Adams-Deane zu untersuchen, der für Seine
Königliche Hoheit, den Herzog von Brabant, bestimmt
war, machten wir die Bemerkung, daß dieser Büchsenmacher den Abzug bereits umgeändert und so gestellt hatte, wie wir eben angegeben haben. Die so
modificirte Pistole gewährte nun eine solche Richtigkeit und Leichtigkeit des Schusses, daß von 30 Kugeln 25 auf eine Entfernung von 30 Schritten in
einen Umkreis von $7\frac{1}{2}$ Centimeter Halbmesser ein-
gedrungen waren, was das Höchste ist, das sicherlich von einer Waffe dieser Art nur verlangt werden

kann. — Notiz für die Herren Adams-Deane, wenn ihnen diese Zeilen jemals zu Gesicht kommen sollten *).

Der Revolver von Adams-Deane hat fünf Züge. Wir wünschten, daß er deren nur vier hätte, welche Zahl vollkommen ausreichend ist, um der Kugel einen guten Sitz und eine gute drehende Bewegung zu sichern, ohne zu gleicher Zeit eine so merkliche Mißgestaltung der Kugel zu bewirken, daß sie in ihrem Fluge Widerstand erfährt. Die Colt'sche Pistole besitzt sieben Züge, also drei derselben zu viel.

Als wir von Colt's Revolver's sprachen, haben wir bemerklich gemacht, wie vortheilhaft es sein würde, um den Rückstoß, das Ausspritzen und das Abschälen der Kugel 2c. zu vermeiden, wenn man die Mühe anwendete, die hintere Oeffnung des Laufes ein Wenig zu erweitern, so daß die Kugel leicht in die Züge sich setzen kann. Nach ganz gleichen Bemerkungen, welche Herr Mangeot dem Herrn A. Francotte, Fabricanten zu Lüttich, mitgetheilt hat, geht nicht eine einzige Pistole nach dem Systeme von Adams-Deane aus den Werkstätten dieses geschickten Mannes hervor, welche nicht vorher diese eben erwähnte Modification erfahren hätte, oder mit andern Worten, die nicht am hintern Theile des Laufes, mit Hülfe eines Fräßbohrers, eine Erweiterung in Gestalt eines Kegelschaftes von parallelen

---

*) Während der Correctur dieser Notiz haben wir mit Vergnügen in Erfahrung gebracht, daß die Herren Adams-Deane die Form ihres Abzuges verändert haben. Letzterer ist jetzt weit gerader; außerdem hat er hinten eine Vorragung, so daß der Schütze den Druck des Fingers, wie er will, leicht anhalten kann, wodurch er zugleich das Niederschlagen des Hahnes aufhält. Letztere Einrichtung ist sehr günstig für das Visiren.

Grundflächen bekommen hätte. — Zweite Notiz für die Herren Adams=Deane.

Jede Waffe, deren Schuß auf dem Abdruck des Hahnes aus einer wenig tiefen Rast beruht, wie dieses bei den Drehpistolen der Fall ist, vermag zu explodiren, wenn zufällig ein Fall, ein Hängeblei= ben, ein zufälliger Stoß gegen einen festen Körper erfolgt. Es entsteht dann ein Stoß oder eine Rei= bung gegen den Hahn. Bei den Pistolen nach Colt's System ist der Hahn durch Nichts geschützt, während er sich in der Spannrast befindet; und da er unter solchen Umständen den eben erwähnten Zufälligkeiten in vorzüglichem Grade ausgesetzt ist, indem er ganz entblößt ist, so kann diese Einrichtung zahlreiche Un= glücksfälle herbeiführen. Die Pistole von Adams= Deane, welche keinen Kamm hat, sich auch niemals in gespanntem Zustande befindet, ist gerade um deß= willen weit mehr vor Zufälligkeiten geschützt. In= dessen bietet sie auch in dieser Beziehung gewisse Uebelstände dar. Wir wollen sie angeben, in der Hoffnung, daß die Herren Adams=Deane sich be= mühen werden, denselben abzuhelfen:

Da an der Nuß dieses Revolver's weder eine Ruhrast, noch eine Spannrast vorkommt, so hat man, wie wir schon früher bemerkten, an der lin= ken Seite hinter dem Gestell eine Feder angebracht, welche verhindern soll, daß der Hahn nicht beständig auf den Zündkegeln oder auf den Zündhütchen liege. Da aber die fragliche Feder nicht stark genug ist, um wirklich Sicherheit zu gewähren, so hört die Wirkung der Feder in dem Augenblicke auf, wo man auf den Abzug drückt oder durch die geringste Be= rührung den Kopf des Hahns emporhebt, und der Hahn fällt dann nieder, um von Neuem seine Stel= lung über den Zündkegeln zu nehmen. Es läßt sich deßhalb begreifen, daß es nicht zu den Unmöglich=

5 *

keiten gehört, wenn in Folge einer Bewegung des Hahns oder durch Reibung der Zündhütchen am Hammer, der Schuß nnerwartet los gehet.

Da Herr Mangeot die Nothwendigkeit einsah, eine wirkliche Sicherung am Revolver von Adams-Deane anzubringen, so hat er dieses auf folgende Weise bewerkstelligt: er hat ganz zweckmäßig die Verhältnisse des Stiftes verstärkt, mit welchem die linke Feder versehen ist, und hat neben dieser Feder eine kleine Schraube, in Gestalt eines Riegels, angebracht. Diese Einrichtung ist ganz schätzbar wegen ihrer Einfachheit. Wenn die Waffe geladen ist, man den Hahn emporhebt und dem Riegel eine Schraubendrehung ertheilt, so bleibt der Stift desselben im Maule des Hahnes sitzen, ohne daß letzterer in irgend einer Weise auf die Zündkegel niederfallen kann. Stellt sich dagegen die Nothwendigkeit ein, von der Waffe Gebrauch zu machen, so braucht man nur mit der linken Hand den Riegel in umgekehrter Richtung zu schrauben, während man die Waffe mit der rechten Hand in die Visirlinie bringt, und der Hahn wird dadurch sogleich wieder frei werden.

Jetzt wollen wir eine unseres Theils unwillkürliche Auslassung wieder gut machen. Da die Pistole mit ununterbrochener Drehung, diejenige, welche man nicht zu spannen braucht, sich sehr sanft abdrücken lassen muß, um die Erschütterung zu vermindern, welche durch das Spiel des Mechanismus hervorgebracht wird, so hat Herr Francotte den glücklichen Gedanken gehabt, am Fuße des Hahnes der Drehpistole von Adams-Deane eine Schraube anzubringen, welche das Abdrücken regulirt, indem sie zugleich wie ein Stecher wirkt. Durch die Verbesserungen, welche Herr Mangeot und Herr Francotte an der Pistole von Adams-Deane ange-

bracht haben, ist diese Waffe gegenwärtig von jeder
Art eines wirklichen Fehlers befreit.

Wir kommen jetzt auf einen sehr zarten Punct
zu sprechen: die Pistolen mit drehbarem Cylinder
vertragen keine Mittelmäßigkeit; wenn sie nicht mit
Sorgfalt gearbeitet worden sind, so stellen sie sich
als ganz unbrauchbare Producte dar. Nun besitzen
sie einen wesentlich schwachen Punct und dieser liegt
im drehbaren Cylinder. Hat man einen Revolver,
dessen Theile nicht aus metallischer Substanz erster
Qualität bestehen, so wird man um desto gefähr-
lichere Täuschungen erleben, je weniger dieselben
vorher zu sehen sind. Wendet man z. B. eine wenig homogene Schießbaumwolle an, so kann man
in die Gefahr kommen, die Röhren des Cylinders
zerbersten zu sehen, und zwar nicht auf der Oberfläche der Trommel, sondern in den inneren Scheide-
wänden, wodurch doppelte Explosionen entstehen und
zugleich die Unmöglichkeit, sich seiner Waffe zu bedienen. Dieser Fall ist vielmals vorgekommen bei
Drehpistolen, welche die Probe der Regierung aus-
gehalten hatten. Um dergleichen schlimmen Vorfällen
vorzubeugen, hat sich Herr Francotte, Fabricant
zu Lüttich, von welchem schon mehrmals die Rede
war, bemüht, die Verfertigung der Drehpistolen mit
der allergrößten Sorgfalt zu überwachen, und er
versendet keine derselben, ohne sie zuvor einer sehr
strengen Gegenprobe unterworfen zu haben, welche
Vorsicht in keiner Hinsicht zu verachten sein dürfte.
— Diese letzteren Zeilen sind, wie man uns glauben
kann, einzig und allein im Interesse der Gewehrliebhaber geschrieben worden.

Nachdem wir uns so ausführlich über die ge-
dachten Drehpistolen verbreitet haben, bleibt uns nur
noch wenig zu sagen übrig. Die Revolvers von
Colt und Adams-Deane kosten einer wie der

andere mit dem Kaſten und ſeinem Zubehör 150 Franken; ohne Kaſten kann man ſie für 120 Franken und ſelbſt für 100 Franken bekommen; aber in die= ſem letzteren Falle ſind ſie von einer geringen Qua= lität. Wir geben deßhalb Herrn Colt den Rath, den Preis ſeines Revolver's beträchtlich herabzuſetzen, wenn er die Waffen, die er vielleicht noch vorräthig auf dem Lager hat, abzuſetzen wünſcht, und wir laden die Herren Adams=Deane ein, eine Waffe, welche ſo wichtige Dienſte wie die ihrige zu leiſten im Stande iſt, einer größtmöglichen Zahl von Per= ſonen erreichbar zu machen.

Endlich theilen wir noch Folgendes mit:

Wegen ſeiner geringen Sorgfalt in der Aus= wahl ſeiner Geſchäftsführer, hat Herr Colt der Kritik das Recht gegeben, ſich ſtreng gegen ihn zu erweiſen.

Kurze Zeit nach der letzten Empörung der Kaf= fern hat dieſer Mann, der es vortrefflich verſteht, die günſtigen Gelegenheiten zu benutzen, nach dem Cap der guten Hoffnung 1000 Revolvers geſendet, die er ſeinem Landsmanne und Geſchäftsführer, dem Herrn Peard, anvertraut hatte.

Nachdem der Agent des amerikaniſchen Fabri= canten am Cap angelangt war, machte er ſich mit den Officieren der engliſchen Armee bekannt und fing an, die verſchiedenen Puncte zu beſuchen, welche von den Truppen beſetzt waren, wobei er ſeine Waare anbot, anrühmte und verkaufte.

Bis hierher läßt ſich kein Tadel ausſprechen: ein ſubalterner Agent iſt keineswegs zu tadeln, wenn er Eifer, Verſtand und practiſches Geſchick in der Art und Weiſe an den Tag legt, wie er die Ge= ſchäfte ſeines Principals führt; andererſeits muß es jeder Induſtrie freiſtehen, mit ihren Nebenbuhlern in eine ehrliche und geſetzliche Concurrenz zu treten.

Indessen giebt es gewisse Regeln, von denen es in keinem Falle sich zu entfernen irgendwem erlaubt ist: Dieses sind nämlich die Regeln des Zartgefühls und der Gewissenhaftigkeit; und es ist Aufgabe der Presse, wenn die Gesetze schweigen, betrügerische Verfahrungsarten, durch deren Hülfe nur zu viele Gewerbtreibende den ihrigen ähnliche Erzeugnisse herabzusetzen suchen, ganz öffentlich an den Pranger zu stellen.

Kommen wir nun wieder auf unsern Geschäftsführer zurück.

Das gegen die Kaffern ausgerückte Armeecorps hatte sein Hauptquartier zu Graham-Town, dem Hauptorte der im Aufstande begriffenen Provinz. Dahin begab sich Herr Peard und von hier alsdann nach den äußersten Posten. Aber seine Geschäfte wollten keinen guten Fortgang nehmen, indem die meisten englischen Officiere bereits mit Revolvers von Adams-Deane versehen waren. Welches Mittel wendete nun unser Agent an, um seinen Artikel in Aufnahme zu bringen?

Nachdem er vom Hauptmann Campbell (vom 73. Linienregiment) eine Pistole von Adams-Deane geliehen hatte, lud er eine gewisse Anzahl von Officieren zu comparativen Versuchen zwischen den beiden Revolvers ein. An dem bestimmten Tage und zur festgesetzten Stunde begab man sich an den bezeichneten Platz. Es ist hier zu bemerken, daß der Herr Peard die Waffen herbeibrachte. Eins der Mitglieder dieser Gesellschaft lud die Cylinder. Der Herr Peard schoß zuerst mit der Colt'schen Pistole und das Resultat war ganz vortrefflich; als er nun die Pistole von Adams-Deane abfeuerte, platzte mit einem fürchterlichen Krachen der Lauf, etwa einen Zoll unter der Mündung.

Was entdeckte man nun, als man die Pistole untersuchte? drei fest eingetriebene und eine an der andern liegende Kugeln. — Zwei Spitzkugeln waren nämlich vor dem Versuch in den Lauf getrieben wor= den, nachdem zwischen beide eine Ladung Pulver ge= bracht worden war, und da nur die Pulverladung der einen Röhre des Cylinders entzündet worden war, so hatte die Kugel des Cylinders die beiden andern bis an das Ende des Laufes getrieben; da sie aber hier der Ausdehnung der Pulvergase zu viel Widerstand entgegensetzten, so war die Metallmasse zerrissen worden. — Welcher Lauf hätte aber nicht dasselbe Schicksal gehabt?!

Wir können unmöglich die Indignation der Zu= schauer beschreiben, als sie diesen Beweis von ehrlo= sem Betragen gewahr wurden. Außerdem war Je= dermann erstaunt über die Tollkühnheit des Herrn Peard, denn es hätte ihm leicht der Schädel zer= trümmert oder er sonst auf eine andere Weise zum Krüppel gemacht werden können, wenn der Lauf nicht von außerordentlicher Güte gewesen wäre.

Nachdem die Thatsachen, die wir eben berichtet haben, sich in England verbreitet hatten, so erregten sie eine allgemeine Mißbilligung und zwar in sol= chem Grade, daß Herr Colt sich genöthigt sah, sei= nem Agenten zu schreiben, die Revolvers um jeden Preis zu verkaufen und das Cap der guten Hoffnung so schnell wie möglich zu verlassen.

In Betreff dieser Mittheilung möge der Leser sich die Nummer des Monats Januar 1853 vom Military Review, einem Journale, welches in London herauskommt, verschaffen, und er wird darin zwei Briefe finden, den einen vom 13. Juni, den andern vom 17. Juli 1852, von denen der erstere im Lager von Keishammah=Hoek und zwar vom Obrist George Gowler, dem damaligen Commandanten des 52.

Linien=Infanterie=Regimentes und der andere vom
Hauptmann W. Ramsbotham, damals Lieutenant
im 4. Linien=Infanterie=Regiment, geschrieben worden
war. In diesen Briefen bestätigen die genannten
Officiere Alles, was wir eben mitgetheilt haben.

Von der Zukunft der Revolvers.

Die Zukunft des Revolver's ist nicht zu berech=
nen und unermeßlich, indem diese Waffe, wenn sie
von guter Beschaffenheit ist, einen unbestreitbaren
Nutzen gewährt, mag man nun sich defensiv verhal=
ten oder die Offensive ergreifen wollen.

Die Person, welche von Bösewichten sich über=
fallen sähe, oder ihren Weg durch Gegenden zu nehmen
hätte, welche von wilden Thieren bewohnt werden,
ebenso ein Jäger, welcher unversehens von gefährli=
chen Thieren überfallen wird, werden sicherlich im
Revolver eine mächtige Hülfe finden.

Der Revolver eignet sich unter allen Gesichts=
puncten für Polizeipersonen, ferner auch für solche,
denen der Auftrag zu Theil geworden, die Volksbe=
wegungen zu unterdrücken, Gefangene zu überwachen
oder zu transportiren. Er eignet sich auch für die
Conducteurs der Postwagen, für Couriere und für
solche, denen die Bewachung öffentlicher und Staats=
cassen übertragen ist; er würde ganz vortrefflich sein,
bei'm Entern von Schiffen; er könnte von großem
Nutzen sein für Truppen, welche als Guiden, als
Escorte, oder als Leibwache dienen sollten; er würde
große Dienste der leichten Cavallerie in ihren Dienst=
verrichtungen als Vedetten leisten. Endlich würde
vermöge des Revolver's und ganz gegen die Meinung
übrigens achtbarer Autoritäten (des Marschall Mar=
mont, der Generale Domini, Brialmont und

Anderer) die Feuerwaffe aufhören, eine überflüssige
Bewaffnung für die Cavallerie im Allgemeinen zu sein.

Wenn es sich darum handelt, ein Infanterie-
Carré anzugreifen, so stürzen sich die Escadronen vergebens auf die Spitze der Bajonette, denn der schlechte
Schuß der einzigen Reiterpistole, welche der Cavallerist besitzt, ist ein ganz verlorner Schuß, indem
diese Pistolen erbärmlich schlechte Waffen sind *);
aber wenn der Cavallerist fünf oder sechs gute Schüsse
auf ein nahes Ziel und binnen sehr kurzer Zeit abzuschießen hätte, so könnte er Lücken in der feindlichen Linie hervorbringen und alsbann in dieselbe
eindringen.

Man wird leicht aus dem Vorausgeschickten begreifen, daß, wenn der Revolver sonst bloß als ein
Gegenstand der Curiosität betrachtet wurde, und wenn
auch noch gegenwärtig diese Waffe unter den euro-
päischen Nationen noch wenig gebräuchlich ist, man
dennoch zugestehen muß, daß sie bald von allgemein
verbreiteter Anwendung sein werde.

Indem wir diesen Artikel beenden, sind wir so
glücklich, dem Leser mittheilen zu können, daß gegenwärtig zu Lüttich bei Herrn Comblain eine Drehpistole mit mehren Schüssen nach einem ganz neuen
Systeme gefertigt wird. Wir haben das Modell da-

---

*) Wenn die Sattelpistolen und Carabiner sich leicht und
ohne Erschütterung losdrückten, so würden die Bewegungen des
Pferdes, nach der Behauptung der Militär-Commissionen, häufig unglückliche Zufälle veranlassen. Um nun dergleichen Gefahren vorzubeugen, hat man es für zweckmäßig erachtet, diese
Waffen so zu lassen, wie sie sind. Unter solchen Umständen ist
man nun genöthigt, um abzuschießen, einen so beträchtlichen
Druck auf den Abzug auszuüben, daß der Schuß unmöglich
die gehörige Richtung behalten kann. Daraus erklärt sich's,
warum diese Feuerwaffe der Cavallerie von so äußerst geringer
Wirkung ist.

von in Händen gehabt, und diese Waffe schien uns,
so viel sich bei einer ersten Besichtigung beurtheilen
läßt, so vortheilhafte Eigenschaften in sich zu vereinigen, daß sie nicht allein die Bestimmung zu haben
scheint, die Pistole des Herrn Colt in die Rumpel-
kammer zu verweisen, sondern sogar gegen die Pistole von Adams-Deane den Kampf siegreich zu
bestehen. Die Pistole des Herrn Comblain besitzt
ziemlich die äußere Gestalt derjenigen von Adams-
Deane, dabei ist sie aber mit einem Hahne versehen,
welcher des bequemen Visirens halber an der rechten
Seite eingeschnitten ist und in einem massiven Theile
sich bewegt, welcher die Bestimmung hat, die Batterie mit der hölzernen Schäftung zu verbinden. Diese
Pistole ist sehr bequem zu handhaben, sehr leicht und
ganz geeignet, eine Luxuswaffe zu werden. Ihr Mechanismus ist sehr einfach, ihr Schuß außerordentlich
richtig und dabei besitzt sie bei allen Vorzügen der
Colt'schen Pistole keinen ihrer zahlreichen Mängel.
Endlich wird sie auch, was keineswegs ihren andern
Vorzügen schaden wird, einen weit billigern Preis
besitzen, als die Revolvers, mit denen wir uns bis
jetzt ganz besonders beschäftigt haben.

Es wird uns soeben aus London mitgetheilt
eine Nachricht, der wir kaum Glauben schenken können: die englische Regierung soll nämlich im Begriff
sein, mit Herrn Colt über den Ankauf seiner Pisto-
lenfabrik zu unterhandeln und bereits 50,000 Pfund
Sterlinge dafür geboten haben!

Das Material der Fabrik des Herrn Colt kann
sich im besten Zustande befinden, aber sein System
ist unvollkommen, ungenügend und mangelhaft. Nun
sind aber die Bedürfnisse nicht so dringend und die
Umstände so bedenklich, daß man den Abschluß dieses außerordentlichen Kaufes zu erwarten hätte. Man
weiß noch, mit welcher Indignation in Frankreich

zwei beklagenswerthe Operationen des Ministers Soult aufgenommen wurden. Und zwar bestand die erste dieser Operationen in Folgendem:

Als kurz nach dem Jahre 1830 der Mangel an Schießgewehren sich fühlbar machte, so suchte man sich dergleichen Gewehre zu verschaffen, ohne alle Rücksicht auf die Beschaffenheit derselben. — Was that nun Herr Gisquet, dem diese Angelegenheit zur Besorgung übertragen war? — Es befanden sich alte Gewehre im Tower von London: der Rost hatte zwar ein Wenig am Eisen derselben gefressen und auch die Würmer hatten die Schäftungen durchbohrt; demungeachtet aber kaufte sie Gisquet.

Die zweite Operation bestand in Folgendem:

Als später ein Theil der Armee auf den Kriegs= fuß gesetzt wurde und nicht hinlängliche Säbel sich in den Zeughäusern befanden, so ersetzte man diese bescheidene Waffe, sowohl des Angriffs, als der Ver= theidigung, durch den elenden Säbeldolch, ein erbärm= liches Krautmesser, welches die Soldaten im Felde nicht einmal zum Zuhauen der Zeltpfähle benutzen können. Es wurden davon große Mengen bestellt und von den Unternehmern dabei große Summen verdient.

Diese beiden Operationen wurden von der Presse besprochen und lieferten den Stoff zu sehr traurigen Anklagen.

Wir sind weit davon entfernt, anzunehmen, daß die Mitglieder der englischen Regierung fähig seien, die Hand zu schmählichen Verhandlungen zu bieten, zu wahren Geldprellereien; wenn indessen der Han= del mit Herrn Colt abgeschlossen würde, welche Meinung müßte man dann von den Fachkenntnissen der Commission haben, die zu einem solchen Be= trug ihre Einwilligung gegeben hätte?

Die Revolvers des Herrn Comblain.

Herr Comblain hatte uns ein neues System von Revolvers versprochen und jetzt erhalten wir von ihm deren zwei: einen Revolver mit unterbrochener Drehung und einen andern mit ununterbrochener Drehung. Jede dieser Pistolen ist ganz zufriedenstellend und jede zeichnet sich in ihrer Art aus. In der That müssen wir dieses Geschenk des Herrn Comblain als ein ganz unerwartetes begrüßen.

Wir wollen nun diese beiden Revolvers einer genauen Prüfung unterwerfen und zuerst von demjenigen sprechen, dessen wir bereits früher Erwähnung thaten, nämlich von demjenigen mit Hahn.

Die Pistole, von welcher die Figur 3 eine Darstellung giebt, scheint auf den ersten Blick derjenigen des Herrn Colt ähnlich zu sein, dennoch ist sie aber sehr abweichend von derselben.

Haupteinrichtungen der Waffe. — Der Lauf ist an seinem hintern Ende mit einer massiven ununterbrochenen Verlängerung versehen, welche zuerst das Trommellager, dann das Schloßblech bildet und die Trommel umgiebt, außer an ihrem oberen Theile, so daß sie im Ganzen drei unregelmäßige Seiten eines unterbrochenen rechtwinklichen Vierecks darstellt. Die hintere Oeffnung des Laufes ist angemessen ausgefräßt, so daß der Lauf die Kugel aus den Röhren mit Leichtigkeit aufnimmt.

Unter dem Schloßbleche befindet sich ein vollkommen anliegender und sehr gut befestigter Bügel aus geschmiedetem Eisen, dessen unteres Ende in das Holz des Griffes eingelassen ist.

Das Schloßblech besteht aus zwei Stücken:

Das eine Stück bildet einen integrirenden Theil der massiven Verlängerung des Laufes und nimmt die ganze Länge desselben ein. Hinten ist es durchbohrt, um die Achsenspindel aufzunehmen; am Laufe, dem drehbaren Cylinder gegenüber, besitzt es in dem massiven Theile eine gebohrte Versenkung, in welcher das andere Ende der Spindel lagert.

Der andere Theil legt sich um eine gewisse Portion der linken Seite herum, so daß er einen Ueberzug derselben bildet. An den massiven Theil ist er auf eine sehr sinnreiche und geschickte Weise befestigt und verbindet sich mit dem Griffe mittelst einer Verlängerung von fünf bis sechs Centimetern am unteren Ende.

Die Achsenspindel wird befestigt und gelöst am hintern Theile des Apparates. Ihr vorderes Ende ist mit einem Schraubengange versehen. Nachdem sie den hintern Theil des Schloßbleches, wie auch den Cylinder in der Richtung der Achse des letztern durchsetzt hat, endigt sie in dem Theile des Schloßbleches, welches eine Fortsetzung des Laufes bildet und findet ihr Lager in der gebohrten Vertiefung. Das hintere Ende des Zapfens tritt aus dem Schloßblech in der Nähe des Griffes hervor. An dieser Stelle trägt der Zapfen einen Kopf oder eine flache Scheibe, die wie eine Schraubenmutter aussieht und in einen Zapfen ausläuft, auf welchen man den Zündkegelschlüssel setzen kann.

Endlich erhält die Spindel gegen die Mitte ihrer Länge eine kleine Feder, welche in der Substanz der Spindel angebracht ist und im freien Zustande ein Wenig über ihre Oberfläche vorragt und dabei der Feder an der Mündung der Militärgewehre ziemlich ähnlich, jedoch ohne Sperrung ist, und in Folge des mäßigen Druckes, den sie gegen die Wandungen des Trommelcanales ausübt, der Trommel nur dann Bewegung gestattet, wenn dieses nothwendig ist, zugleich derselben immer die nämliche Achse erhält, ungeachtet der Erschütterung, welche die Schüsse hervor-

bringen können. Durch die Wirkung dieser Feder
wird die Achsenspindel gewissermaßen ein Oelbehälter.

Der drehbare Cylinder besitzt fünf Röhren,
welche so eingerichtet sind, daß sie vollkommen mit
der Seele des Laufes zusammenfallen. Das Laden
dieser Röhren kann mit der größten Leichtigkeit bewerkstelligt werden, ohne daß man den Apparat
auseinander zu nehmen nöthig hat. Der Sitz der
Zündkegel ist so in dem massiven Theile des Cylinders angebracht, daß die Zündung eines Zündhütchens sich nicht einem anderen Zündhütchen mittheilen kann.

Die Zündkegel sind in der Richtung der Achse
des Laufes und ein Wenig an der Seite des Pul-
versackes der Kammern befestigt.

Man hat auf der cylindrischen Oberfläche der
Trommel, in der Nähe der hintern Fläche und zwischen jeder der fünf Zündkegelmuscheln eben so viele
kleine Löcher angebracht, deren Zweck, wie wir weiter
unten sehen werden, darin besteht, zu verhindern,
daß der Cylinder sich über die bestimmte Grenze
hinausdreht.

An der hintern Fläche der Trommel befindet
sich eine Verzahnung von fünf Zähnen, die mit dem
Cylinder ein Ganzes bilden und ungefähr drei oder
vier Millimeter vorragen. — Diese Einrichtung gewährt den Vortheil, daß zwischen dem Schloßblech
und der hinteren Seite des Cylinders ein hinlänglich großer Zwischenraum bleibt, so daß die Zünd-
hütchentrümmer nicht im Stande sind, den Gang
des Apparates zu unterbrechen. Außerdem erleichtert
die prismatische und eckige Gestalt der Zähne der
Verzahnung die Wirkung eines gewissen Hebels,
welcher den Cylinder in Bewegung zu setzen hat,
ganz außerordentlich.

Endlich legt sich die vordere Seite des Cylinders mit sanfter Reibung an die hintere Seite des Laufes, um das Ausspritzen unmerklich zu machen und den Verlust der Pulvergase fast gänzlich aufzuheben.

Die Batterie ist von bewundernswerther Einfachheit und Zweckmäßigkeit; ihr Mechanismus ist mit außerordentlicher Kunst combinirt; durch ihren sanften Gang ist sie vergleichbar mit den sogenannten Scheibenpistolen. Was nun die Beschaffenheit der Waffe und die dabei zu besiegenden Schwierigkeiten anlangt, so erscheint sie als ein wahres Meisterstück.

Ihre Bestandtheile sind: der Abzug, die Stange, die Nuß, eine einzige Feder und der Hahn.

Der Abzug ist sehr gut ausgeführt; seine äußere Gestalt ist befriedigend.

Die Nuß ist mit zwei Rasten und einer Kette von sehr merkwürdiger Einrichtung versehen. Wir werden weiter unten finden, wie die Nuß die Bewegung des drehbaren Cylinders hervorbringt.

Die Feder liegt in einem Ausschnitte des Griffes. Wir haben nicht nöthig, ihre Wirkung auf die Nuß zu erklären, sondern bemerken bloß, daß sie viel Kraft besitzt.

Der Hahn bewegt sich an der rechten Seite des Schloßbleches in einem Raume, der in der Substanz dieses Stückes ausgespart worden ist. Er besitzt die Gestalt gewöhnlicher Hähne, bis auf eine geringe Abweichung, indem sein Hammer mit einem kleinen Schnabel versehen ist, der zur Bedeckung der Zündhütchen dient. Es braucht kaum bemerkt zu werden, daß der Fuß des Hahns mit der Nuß durch eine Schraube verbunden ist, welche die rechte Seite des Schloßbleches durchsetzt; diese Schraube giebt die Welle des Hahns und den Zapfen der Nuß auf diese Weise ab.

Die Stange verdient eine ganz besondere Erwähnung, und deßhalb haben wir nicht früher davon gesprochen.

Wenn man in der Mechanik eine Kraft mildern will, so bricht man sie, d. h., man vertheilt sie auf bewegliche Agentien, um die Härte und die Trockenheit ihrer Reactionen zu mildern. Wir wissen nicht, ob Herrn Comblain dieses Gesetz bekannt ist, wenigstens hat er es mit einem seltenen Glück in Anwendung gebracht.

Die Stange besteht aus zwei Schenkeln, die fast rechtwinklich zu einander stehen, und in ihrem Vereinigungspuncte eine Art von Fuß besitzen. Man wird es schon bemerkt haben, daß die Stange nach Art des Stechers der Scheibenpistolen wirkt: der Fuß steht in Verbindung mit dem Abzuge, der eine Schenkel greift in die Rasten der Nuß, der andere wirkt auf die Schlagfeder. Alles dieses ist mit großer Sachkenntniß ausgedacht und Alles mit mathematischer Genauigkeit zusammengestellt.

Der Cylinderapparat oder die Trommel dreht sich mit Hülfe von zwei kleinen abgesonderten Stücken, die sich eine gegenseitige Unterstützung gewähren, und die wir jetzt genauer kennen lernen wollen.

Das erste Stück ist ein einfacher verticaler Stift, welcher ungefähr 2 Millimeter Durchmesser und 2 Centimeter Länge besitzt. Derselbe bewegt sich in der Substanz desjenigen Theiles des Schloßbleches, welcher sich unter der Trommel ausbreitet, und er folgt der Bewegung des Abzuges. Sein unteres Ende kommt im leeren Raume des Bügels neben dem Abzuge zum Vorschein, und sein oberes Ende wird vom Schloßbleche verdeckt, wenn der Abzug in Ruhe ist. Dieser Stift sitzt mittelst eines Ein-

6

schnittes in einer Kerbe, welche am hinteren Theile des Abzuges angebracht ist. Wir wollen jetzt das Spiel seiner Bewegung erklären:

In dem Augenblicke, wo der Druck des Fingers erfolgt, zieht sich der sichtbare Theil des Abzuges zurück und der verborgene Theil desselben erhebt sich, indem er den fraglichen Stift mit sich nimmt. Alsdann tritt letzterer aus seinem Canal, um sich genau in eins der kleinen Löcher zu setzen, die im Umkreise des Cylinders angebracht sind, und er verhindert dadurch, daß sich die Trommel weiter bewegt, als nöthig ist. Sobald der Abzug wieder frei wird, fällt der Stift zurück, und damit hört seine Wirkung auf.

Das zweite Stück ist ein Hebel mit zwei Schenkeln, welcher in einer Aussparung spielt, die im Innern des Schloßbleches angebracht ist, und der durch die Bedeckung des Schloßbleches an seinem Ort erhalten wird. Diese Combination erinnert bis zu einem gewissen Punct an den Mechanismus gewisser Schlosse.

Die Schenkel sind von ungleicher Länge; der eine bildet den Hebelarm, der andere die Feder. Da die Basis des Hebels flach gegen die Nuß gestellt ist, so ist der Hebel, der beweglich ist, aber stark von den beiden Seiten des Schloßblechs zusammengedrückt wird, genöthigt, dem Impulse der Nuß zu folgen. Wir wollen jetzt seine Functionen untersuchen:

Wenn man den Hahn spannt, so hebt die Nuß den Hebel empor; die Feder schiebt sich in ihrem Lager vorwärts, und der Hebelarm, welcher durch eine Oeffnung hervortritt, die im Schloßbleche der hinteren Seite des Cylinders gegenüber angebracht ist, rückt diagonal vorwärts, ergreift einen Zahn der Verzahnung und bewegt die Trommel bis zu einem angemessenen Punct; hier hält er sie fest.

Der untere Theil des Hebelarmes ist schräg zugeschnitten. Nun bilden die Ecken der Zähne der Verzahnung abgerundete Vorragungen in entgegengesetzter Richtung, so daß sie eine Reibung von großer Sanftheit gestatten und zwar während der aufsteigenden Bewegung des Hebels, d. h. während der Hebelram einen Zahn der Verzahnung fortschiebt, rückt ein anderer Zahn seinerseits vorwärts und tritt alsdann, durch seine prismatische Gestalt begünstigt, unter die Schrägfläche des Hebelarmes, bis der Hahn in die zweite Rast getreten ist; alsdann hört er auf, sich gegen den Hebelarm zu legen, dessen Bewegung er gefolgt ist. Der Hebelarm, welcher auf diese Weise zwischen zwei Zähnen liegt, ist also im Stande, jeder Anstrengung, um die Trommel nach Rechts oder nach Links zu bewegen, einen unbesiegbaren Widerstand entgegenzusetzen. Wenn aber der Hahn abgedrückt ist, um auf's Zündhütchen zu schlagen, so ist dieses der Augenblick, wo der kleine Stift, von welchem eben die Rede war, die Bewegung des Emporsteigens ausführt, welche die Trommel festhalten soll. Der Hebelarm, durch den Fall der Nuß mitgenommen, tritt zurück, kehrt in sein Lager zurück, gleitet dem Zahn entlang, der ihn anfangs Stütze gewährte, gelangt unter denselben, indem er schwach, wegen der geringen Kraft seiner Feder, sich auslös't, und nimmt seine frühere Stelle wieder ein.

Nach diesen ausführlichen Erläuterungen dürfte die Bemerkung überflüssig sein, daß die Theile, von denen eben die Rede war, nämlich der Stift, der Hebel und die Zähne der Verzahnung, sehr hart gehärtet sein müssen, und daß die Länge des Hebelarmes, wie auch der Abstand der Zähne der Verzahnung äußerst sorgfältig bestimmt sein müssen; aber was wir besonders hervorzuheben haben, ist der Umstand, daß die Bewegung des Cylinders von

6*

einer Regelmäßigkeit und einer Genauigkeit ist, die
man kaum begreifen kann, wenn man die Waffe
nicht selbst in der Hand gehabt und wenn man das
Spiel ihres Mechanismus nicht beobachtet hat. Der
Grund davon liegt darin, daß die Verbindung zwi=
schen dem Spiele des Apparates und demjenigen
der Theile der Batterie höchst genau und vollkom=
men ist, so daß man nicht weiß, was man am Mei=
sten bewundern soll, das Spiel der Batterie, oder
dasjenige des Apparates. Die Verbindung dieser
Systeme bildet mit einem Wort ein Ganzes, wel=
ches eben so bewundernswerth ausgedacht, als vor=
trefflich ausgeführt ist.

Alles, was wir noch dem Gesagten hinzufügen
könnten, ist nur von secundärem Belange.

Der Griff ahmt sehr gut denjenigen der ge=
wöhnlichen Pistolen nach. Er ist inwendig ausge=
schnitten, um die Batteriefeder aufzunehmen, und be=
sitzt noch zwei Einlassungen, die eine für den hin=
teren Theil des Bügels, die andere für die Verlän=
gerung des Schloßbleches. Am Ende des Kolbens
befindet sich ein Zündhütchenmagazin. Letzteres ist
aus Eisen und trägt dazu bei, die Waffe in's Gleich=
gewicht zu bringen, indem es einen Theil ihres Ge=
wichtes nach Hinten verlegt. Der Schaft ist im
Ganzen sehr gut zusammengearbeitet, sehr gut aus=
gestattet, sehr fest hergestellt und von sehr guter
Qualität, nämlich von Nußbaum=Kernholz und nicht
von Splintholz.

Die Pistole des Herrn Comblain mit
unterbrochener Drehung ist noch ausgestattet
mit einem Zusatze, der nur an Kriegswaffen Anwen=
dung findet, an sogenannten Luxuspistolen aber nicht
nothwendig ist. Dieser Zusatz besteht nun in Fol=
gendem:

An der vorderen Seite der Mündung und unter dem Laufe ist ein Canal, von 2 Centimeter Länge, angelöthet. In diesem Canale sitzt eine Spiralfeder mit einem Schraubenkopfe und ragt aus demselben um ½ Centimeter vor, damit man längs des Laufes eine Spindel von zwei Schenkeln und ungleicher Länge, die rechtwinklich gekröpft sind, befestigen könne.

Am Ende des längeren Schenkels befindet sich ein Loch, in welchem das Ende der obenerwähnten Feder sitzt; am gegenüberliegenden Ende, d. h. im Winkel der Kröpfung, befindet sich ein Bolzen, dessen Sitz in dem massiven Theile, welcher am Laufe anhängt, befindlich ist. Der andere Arm stützt sich endlich gegen die Verlängerung des Laufes mittelst einer Kerbe, welche in der vorderen Portion des massiven Trommelgestelles angebracht ist, und er ist an seinem Ende mit einem Loche versehen, welches demjenigen des vorhergehenden Schenkels ziemlich ähnlich ist. Das erste dieser beiden Löcher giebt einen Schlüssel ab zum Herausnehmen der Achsenspindel; das zweite dient zu demselben Zwecke für die Zündkegel; endlich kann dieser spindelförmige Stab im Nothfall als Ladestock benutzt werden.

Wenn man denselben abnehmen will, so stellt man den Kolben der Pistole gegen die Brust, so daß die Mündung des Laufes nach Vorwärts gerichtet ist, während man mit der rechten Hand den Apparat hält. Man ergreift nun den Kopf der Spiralfeder mit dem Daumen und dem Zeigefinger der linken Hand, während die andern Finger die Waffe unterstützen, und löst das Ende der Feder, indem man sie aus dem Loche des Stengels herauszieht. Der Stengel, welcher nun ebenfalls herausgenommen werden kann, wird mit dem Daumen und dem Zeigefinger der rechten Hand, entweder nach Rechts

ober nach Links bewegt, worauf man ihn heraus=
nimmt, nachdem man den Bolzen, welcher ihn fest=
hält, beseitigt hat. Um den Stengel wieder an
seinen Ort zu bringen, befolgt man ziemlich das
umgekehrte Verfahren.

Die Pistole, welche wir vor uns liegen hatten,
als wir diese Zeilen schrieben, war noch nicht gänz=
lich vollendet, d. h., sie war noch nicht vollkommen
geschäftet und lackirt, auch hatte sie noch nicht die
letzten Feilenstriche erhalten; eben so wenig waren
die metallischen Theile mit der grauen oder blauen
Farbe versehen, und sie mußte also noch in die Hände
des Fertigmachers, des Schäfters und des Polirers
übergehen. Demungeachtet war die Zusammenstellung
und die Einrichtung der Haupttheile, die Verbindung
der Theile des Schloßbleches, der Gang des Dreh=
apparates, der Mechanismus der Batterie, das Spiel
der Federn so einfach, regelmäßig, fest und dauerhaft
hergestellt, daß ihr dadurch ein herrlicher Erfolg ge=
sichert wurde. Was nun die Richtigkeit des Schusses,
die Weite der Tragkraft und die Eindringungsfähig=
keit der Kugel anlangt, so beschränken wir uns auf
die Versicherung, daß in dieser Hinsicht diese Waffe
durchaus nichts zu wünschen übrig ließ.

Diese Waffe wird nur in zwei Größen ange=
fertigt: die eine steht zwischen Nr. 2 und 3 der Pi=
stole des Herrn Colt und eignet sich für die Sattel=
und Gürtelpistole; die andere steht zwischen Nr. 4
und 5 der amerikanischen Pistole und ist bestimmt zur
Taschenpistole. Jedes dieser Modelle wird weit leichter
sein, als das ihm entsprechende amerikanische Modell.

Da die Anwendung der Achsenspindel und des
drehbaren Cylinders mit Kammern schon vor der Pi=
stole des Herrn Colt bekannt war, so hat Herr
Comblain keine Idee von Herrn Colt entlehnt.
Er hat allerdings statt des Ladestockes und Hebels

einen Schlüssel zum Herausnehmen der Achsenspindel, sowie auch den Zündkegel substituirt; er hat
sehr vortheilhaft die Verzahnung des Cylinders, seine
Ruhrasten, seinen Hebel modificirt; er hat die Anordnung der Zündkegel verändert; er hat ihren Muscheln eine andere Gestalt gegeben; er hat hinlänglichen Raum zwischen der hinteren Seite der Trommel und der vorderen Seite des hinteren Theiles des
Schloßbleches gelassen; er hat den Schaft und das
Schloßblech auf eine sehr solide Weise miteinander
verbunden; er hat den unangenehmen Messingbeschlag
weggelassen und ihn durch zwei eiserne Verlängerun-
gen von zweckmäßiger Größe ersetzt; er hat eine andere Art der Befestigung der Achsenspindel erfunden;
er hat die warzenförmigen Puncte, wie auch die
Warzen selbst weggelassen; er hat die widerwärtige,
halbkugelförmige Masse verworfen; er hat den Hahn
an der rechten Seite der Waffe angebracht und ihm
eine andere Gestalt gegeben; er hat eine treffliche
Verbindung der Theile des Schloßbleches ausgeson-
nen, indem er die Zusammensetzung vervollkommnet
hat, deren man sich für die sogenannten schottischen Taschenpistolen bedient; er hat indirect das
Stechschloß mit angebracht; er hat einen sehr einfachen Mechanismus erfunden, um den Cylinderapparat mit der Batterie in Verbindung zu bringen;
er hat das Schloß so einfach und mit einer so großen Leichtigkeit der Bewegung hergestellt, wie man
es bis jetzt noch nicht kannte; endlich hat er eine so
solide, so gut eingerichtete und so sanft, geschmeidig
und genau wirkende Waffe hergestellt, daß die Pistole des Herrn Colt nicht einen Augenblick lang
die Vergleichung mit ihr aushält. Auf diese Weise
hat die belgische Erfindung der amerikanischen Erfindung dergestalt den Gnadenstoß gegeben, daß letztere unfehlbar bald aufgegeben werden dürfte.

Aber ist denn, könnte man uns fragen, die neue Drehpistole von allem Tadel frei? Hinsichtlich unserer Antwort stehen wir nicht im Geringsten in Zweifel, haben indessen die feste Ueberzeugung, daß Herr Comblain, ehe er die Pistole in Circulation versetzt, sich noch bemühen werde, geringe Unvollkommenheiten, welche sie darbietet, zu beseitigen. Wir, unsererseits, wünschen gewissenhaft unsere Pflicht des Kritikers, selbst gegen eine Waffe ganz neuen Ursprunges, zu erfüllen und schlagen deßhalb die folgenden Modificationen vor:

1) die Verzahnung dürfte nicht einen integrirenden Theil der Trommel ausmachen, sondern müßte bloß in den massiven Theil eingeschraubt werden.

Wäre z. B. ein Zahn nicht gehörig befeilt worden, bevor der wichtige massive Theil gehärtet worden, so wäre man genöthigt, die angegebene Operation dennoch vorzunehmen. Sollte ferner durch einen unmöglich vorherzusehenden Zufall die Verzahnung sich durch den Gebrauch abnutzen, so wäre der Cylinder verloren, oder das Repariren desselben würde wenigstens äußerst schwierig werden.

2) Man müßte ein Wenig mehr Raum zwischen der Trommel und dem Theile des Schloßbleches lassen, welcher sich unter dem Apparate verbreitet.

Wenn ein fremder Körper, ein zertrümmertes Zündhütchen, z. B., sich zwischen die beiden erwähnten Theile setzen sollte, so wäre der Gang der Drehpistole vollständig unterbrochen; der Abstand müßte also von solcher Art sein, daß der fremde Körper sich nicht anhängen oder festsetzen könnte. Die nächstfolgenden Bemerkungen Nr. 3 und 4 sind diesen ähnlich und dienen zur Bestärkung derselben.

3) Die äußere Form der Zündkegelmuscheln müßte besser ausgeschnitten sein, damit das zertrümmerte Zündhütchen leichter nach Rechts einen Ausweg

fände, wodurch es verhindert wird, sich zwischen den Apparat und das Schloßblech zu setzen.

Die Nothwendigkeit dieser Modification ist einleuchtend.

4) Der obere Theil des Schloßbleches, welcher sich unter dem Cylinder verbreitet, müßte abgerundet werden.

Wenn man, statt die ebene Form diesem Theile des Schloßbleches zu erhalten, ihm eine convexe Form gäbe, so würden die Zündhütchen-Trümmern offenbar an die Erde fallen, denn es würde für sie unmöglich sein, sich an einer abgerundeten metallischen Oberfläche festzusetzen.

5) Das Zündhütchenmagazin müßte ein Wenig verkleinert werden; von dem Eisen in der verticalen Verlängerung des Laufes, welche man auch das Gestell zu nennen pflegt, müßte ein Theil in Wegfall kommen, und die scharfen Kanten des Schloßbleches müßten abgerundet werden.

Diese Veränderungen würden den Vortheil gewähren, die Waffe leichter zu machen und würden ihr auch zu gleicher Zeit eine zierlichere Gestalt verleihen.

6) Der gekröpfte Stengel, so wie auch das Zündhütchenmagazin müßten bei Luxuswaffen in Wegfall kommen.

Diese beiden Gegenstände können nicht einer ohne den andern weggelassen werden, weil man sonst das Gleichgewicht der Waffe aufheben würde.

7) Der Kopf der Achsenspindel müßte modificirt werden.

Der Kopf der Achsenspindel gewährt in der That kein schönes Ansehen oder irgend einen Vortheil. Man gebe ihm die Gestalt eines Herzes, eine bequemere, dem Auge angenehmere Form und man wird nicht allein das Stück mit den Fingern schrau-

ben, ſondern auch bei Kriegswaffen den einen Schenkel des Stengels weglaſſen können, der unter und
längs dem Laufe liegt.

Dieſe letztere Modification würde eine andere
herbeiführen: man müßte den Bolzen des Stengels
auf die Verlängerung des Laufes bringen und den
Stengel abrunden, um ſich nicht bei'm Ausſchrauben
der Zündkegel die Hände zu verletzen.

8) Bei der Kriegswaffe müßte die Spiralfeder
durch einen kleinen Stab oder Stengel mit einem
Widerhalter erſetzt werden.

Die Spiralfeder iſt mangelhaft: ſie beſitzt weder
hinlängliche Conſiſtenz, noch hinlängliche Kraft; durch
den Gebrauch nutzt ſie ſich bald ab.

Die Anwendung des kleinen Stabes oder Stengels, wie wir ihn eben bezeichnet haben, würde dazu Veranlaſſung geben, den Canal ſo einzuſchneiden,
wie man es für die Bajonnethüllen zu thun pflegt.
Man müßte den Kopf des kleinen Stabes etwas
dicker machen, damit er beſſer zu handhaben ſei; und
weil der große Stengel jetzt zu weiter Nichts benutzt
werden könnte, als zum Ausſchrauben der Zündkegel, nachdem ſein anderer Schenkel in Wegfall gekommen, ſo brauchte er nicht ſo lang zu bleiben,
wie gegenwärtig, und man könnte den Canal mehr
nach Hinterwärts verlegen.

9) Man müßte die Achſenſpindel nicht bloß in
die verticale Verlängerung des Laufes, ſondern auch
noch hinter dem Schloßbleche feſtſchrauben.

Wenn die Achſenſpindel nur in die Verlängerung des Laufes eingeſchraubt iſt, ſo vermag ſie,
wenn auch nur wenig, in dem Canale zu ſchwanken,
der hinter dem Schloßbleche angebracht iſt. Andererſeits iſt die Verlängerung des Laufes derjenige
Theil der Waffe, welcher bei'm Schuß die meiſte Er-
ſchütterung erfährt. Sollte nun der Fall eintreten,

daß eine Kugel bei'm Austritt aus einer der Kammern des Cylinders eine allzu unregelmäßige Form bekäme, wovon eine heftige Erschütterung des ganzen Apparates die Folge sein würde; und sollte es sich zutragen, daß die Schraube der Achsenspindel nicht sehr homogen sei, indem sie entweder eine brüchige Stelle besäße oder zu stark gehärtet worden sei, oder irgend einen andern Mangel darböte: so könnte die Achsenspindel, je nach der Güte des Metalles und je nach der Beschaffenheit der Schwingungen, die sie auszuhalten hätte, dicht vor der Oeffnung eines ihrer Zapfenlager abbrechen.

Ohne Zweifel hat Herr Comblain in der Absicht, um diese Gefahr zu vermindern, die Feder erfunden, mit welcher er die Achsenspindel ausstattete; aber diese Vorkehrung erscheint uns noch nicht ausreichend. Wenn dagegen die Achsenspindel an dem hintern Theile des Schloßbleches durch eine Schraube verwahrt wäre, so würden sich die Schwingungen, da sie alsdann an beiden Enden auf gleiche Weise festgehalten würde, mit größerer Gleichförmigkeit auf ihre ganze Länge vertheilen und folglich würde keine Stelle derselben eine heftigere Einwirkung erfahren, als die andere. Natürlich müßte die Achsenspindel vollkommen cylindrisch sein, und die beiden Schrauben müßten so angebracht sein, daß sie einander nicht entgegenwirken.

10) Der Kopf des Hammers sollte ein Wenig nach Links versetzt und dergestalt eingeschnitten werden, daß er als Visir dienen könnte, auch müßte wohl seine Höhe ein Wenig vermindert werden.

Der belgische Erfinder, welcher die Delicatesse so weit getrieben hat, daß er auch gar Nichts von den Einrichtungen der Pistole des Herrn Colt benutzen wollte, hat es für angemessen erachtet, ein Visir auf den Lauf zu bringen; da aber das linke

Ende des Hammerkopfes, wenn der Hahn aufgezogen ist, fast dem Visir gegenüber zu stehen kommt, so behindert dieses das Visiren. Herr Comblain möge ohne alles Bedenken den Hammerkopf verändern, mit einem Einschnitt versehen, dann das Visir weglassen, und Niemand wird sich's einfallen lassen, ihm eine so geringfügige Entlehnung übel zu nehmen. Herr Colt dagegen hat in ganz anderer Weise die Ideen Anderer zu benutzen verstanden!

Sollte indessen Herr Comblain der Meinung sein, daß der auf diese Weise angebrachte Visireinschnitt sich wegen des Mangels absoluter Festigkeit in Betreff des Hahns verrücken könnte, so mag er sein Visir beibehalten und nur die Höhe des Hammerkopfes um 1 oder 2 Millimeter vermindern, und diese Verlängerung würde dann immer lang genug bleiben, um die Zündhütchen angemessen zu bedecken.

Könnte man nicht auch endlich die vordere Gestalt der Schulter des Hahns ein Wenig mehr abrunden? In diesem Falle würde der Hahn tiefer niederschlagen, und man wäre dann allerdings genöthigt, den Hahn etwas höher emporzuheben, wäre aber dann auch nicht genöthigt, die Länge des Kopfes zu vermindern.

11) Der Umriß der Nuß müßte ein Wenig modificirt werden.

Die Waffen, welche in Lüttich fabricirt werden, besitzen meistentheils einen Fehler, von welchem Herr Comblain seine Pistole zu befreien nicht beflissen gewesen ist: die Nuß hält nicht die Rast, d. h., wenn der Hahn in die erste Rast gebracht ist, so vermag ihn der geringste Druck auf den Abzug loszudrücken, was gegen die ersten Regeln der Büchsenmacherkunst verstößt.

Um diesem Uebelstande abzuhelfen, braucht Herr Comblain weder die Ruhrast tiefer einzuschneiden,

weil dieſes dem ſanften Gange des Mechanismus
nachtheilig ſein würde; noch auch den Stangenſchnabel ſtärker zu krümmen, weil dann dieſes Stück ſich
ſchneller abnutzen würde; aber er müßte der Schulter
der Nuß ein Wenig mehr Eiſen geben und ſie mehr
vortreten laſſen. Die Folge dieſer Einrichtung wird
dann darin beſtehen, daß der Stangenſchnabel ſich
beſſer in die Ruh.. hä.nſetzt und den Hammer in
dieſer Lage feſt er.. ...

Auch erlauben wir uns noch zu bemerken, daß
man wohl einen zu großen Zwiſchenraum zwiſchen
der erſten und zwiſchen der zweiten Raſt gelaſſen
hat, oder daß die Ruhraſt zu tief auf der Nuß und
zu entfernt von der Spannraſt angebracht iſt.

12) Auch die Form des Griffes müßte eine
Modification erfahren.

Die hölzerne Schäftung nimmt am Anfange
des Griffes, in Folge der Neigung vom hintern Theile
des Schloßbleches, eine Form an, welche die Fauſt
nach Vorwärts drängt, ſo daß man das Ende des
Laufes ſenken muß. Man ſubſtituire dieſer Neigung
eine weniger excentriſche Curve, oder man gebe dem
Kolben eine mehr geſenktere Form, ungefähr wie
bei der Piſtole von Adams=Deane, ohne dabei
zu vergeſſen, daß, um eine Waffe in's Gleichgewicht
zu bringen, man die Art und Weiſe, wie ſie ſich in
der Hand verhält, mit in Anſchlag zu bringen habe.

Auch müſſen wir noch bemerken, daß der Griff
an ſeinem vordern und obern Theile zu viel Dicke
beſitzt. Wenn die Hand ·ihn ſchwierig umſpannen
kann, ſo ermüdet die Fauſt ſchnell und wird ſteif,
während ſie immer biegſam und ganz frei bleiben
müßte.

13) An der linken Seite des Schloßbleches
müßte Mangeot's Sicherung angebracht werden,
und dieſe müßte ſich in die Subſtanz des Hahnko-

pfes ſetzen, nachdem ſie an der bezeichneten Stelle
das Schloßblech durchſetzt hätte. Dieſe Vervollkomm=
nung macht ſich aus folgenden Gründen nothwendig:

Wir haben bereits geſehen, daß die Nuß, in
Folge eines Bildungsfehlers, den Hahn nicht gut in
der Ruhraſt erhält; aber dieſer Fehler erzeugt einen
zweiten: wenn man den Hahn aus der Spannraſt
in die Ruhraſt bringen will, ſo findet man die zweite
Kerbe nur mit Schwierigkeit und erſt nach ſehr ge=
fährlichen · Verſuchen.

Sollte nun ein ſchwacher Druck irgend eine
Reibung auf den Abzug ausüben, während man
den Hahn in Ruhe verſetzt hat, um die Zündhütchen
aufzuſetzen; oder ſollte der Finger aus Verſehen den
Kamm des Hahns loslaſſen, während man ihn nie=
derläßt, nicht etwa aus der Spannraſt bis auf den
Zündkegel, ſondern bloß in die Ruhraſt, ſo iſt die
Gefahr einer Exploſion vorhanden, weil die Feder
der Batterie viel Stärke und Elaſticität beſitzt. Die
Anwendung einer Sicherung iſt deßhalb unerläßlich;
nun eignet ſich aber die Sicherung von Mangeot
für dieſe Gattung von Waffen am Beſten.

Endlich geben wir Herrn Comblain den Rath,
die vier Züge für den Lauf und die Art der Zapfen=
kugeln für die Ladung anzunehmen; denn ſeine Pi=
ſtole würde aus den Gründen, die wir bereits ent=
wickelt haben, als vom Revolver Adams=Deane's
die Rede war, dadurch nur gewinnen können. Auch
wünſchten wir, daß die Verzahnung, der Hebel und
die Achſenſpindel aus Gußſtahl gefertigt würden.

Dieſe verſchiedenen Modificationen würden das
Syſtem des Herrn Comblain in Nichts verändern,
wohl aber der Waffe eine größere Leichtigkeit und
ein gefälligeres Anſehen geben; auch würden ſie ver=
hindern, daß der Apparat in ſeiner drehenden Be=
wegung jemals Behinderung fände und zugleich alle

Gefahr beseitigen, daß Unglücksfälle entweder durch
die Ungeschicklichkeit des Schützen oder durch das zu
leichte Losgehen der Waffe selbst herbeigeführt werden.

Der Leser wird uns vielleicht den Vorwurf ma=
chen, daß wir die eben erwähnte Pistole mit zu gro=
ßer Strenge behandelt hätten; aber darauf lassen wir
das alte Sprüchwort antworten: Qui bene amat, bene
castigat. (Wer sehr ..., der züchtigt hart,) nicht in
der Absicht, den Werth der neuen Waffe herabzuse=
tzen, sondern, weil wir unsere Bemerkungen für die=
selbe als nützlich erachtet haben.

Wenn die Pistole des Herrn Comblain nicht
ausgezeichnete Eigenschaften und die Elemente eines
unbestreitbaren Werthes besessen hätte; wenn sie nicht
im Stande wäre, wichtige Dienste zu leisten, so
hätten wir sie unbeachtet gelassen, oder ihrer bloß
Erwähnung gethan, wie dieses in Betreff der Re=
volvers von J. Lang und von Barnett der Fall
gewesen ist; aber diese Waffe ist berufen, nach unse=
rer innigen Ueberzeugung, ganz Europa gegenüber
das Verdienst der belgischen Fabrication und des
Erfindungsgeistes der Arbeiter in Lüttich aufrecht zu
erhalten. Es ist deßhalb von Belang, daß die
Pistole des Herrn Comblain mit unterbrochener
Drehung von allen Mängeln frei sei; um aber die
angedeuteten Mängel zu beseitigen, bedarf es nicht
den hundertsten Theil des Scharfsinns, der Intelli=
genz, so wie der practischen und theoretischen Ge=
schicklichkeit, von welcher der Erfinder bei dieser Ge=
legenheit den Beweis geliefert hat.

Der Revolver Mangeot=Comblain's mit
ununterbrochener Drehung, Fig. 4.

Wir hatten bereits die Erscheinung eines Re=
volver's des Herrn Comblain mit ununterbrochener

Drehung angekündigt; aber gegenwärtig stellt sich diese Waffe unter einer andern Benennung dar, und wir sind deßhalb genöthigt, zuerst zu erklären, worin diese Veränderung unserer Ankündigung ihren Grund hat.

Herr Comblain ist ein einfacher Arbeiter in der Umgegend von Lüttich, aber dieser Umstand vermindert das Verdienst dieses bescheidenen Mannes in unsern Augen keineswegs, sondern giebt uns vielmehr die beste Meinung von seinem Talent und von seinem Character.

Kaum hatte nun Herr Comblain den zweiten Revolver vollendet, so erfuhr er auch, daß Herr Mangeot sowohl auf eine Sicherheitsschraube, als auf eine Druckschraube, welche wie ein Stecher wirkte, ein Patent genommen habe.

Ungeachtet unserer Bemerkungen, die wir weiter vorn in Betreff der Vorragungen an dem Abzuge von Adams-Deane gemacht haben, so ist doch diese Modification nicht so genügend, als man hätte wünschen müssen, und deßhalb legen wir das Bekenntniß ab, daß wir von ihrer Wirksamkeit eine allzugute Meinung gehabt haben.

Inzwischen kam Herr Mangeot auf den Gedanken, die gedachte Vorragung durch eine wirkliche Rast, welche das Losgehen anzeigt, zu ersetzen. Diese Neuerung ist von großer Wichtigkeit und es ist uns noch nicht vergönnt, uns darüber auszusprechen.

Da indessen die Vervollkommnungen, welche dem Brüssler Büchsenmacher angehörten, von solcher Beschaffenheit sind, daß sie sich mit großem Vortheil an dem Revolver mit ununterbrochener Drehung anbringen lassen, so machte Herr Comblain Herrn Mangeot den Vorschlag, ihre beiderseitigen Entdeckungen in ein einziges System zu verschmelzen.

Dieſes Anerbieten wurde gehörig überlegt und end=
lich angenommen, ſo daß die Piſtole, mit welcher
wir uns jetzt beſchäftigen wollen, das Ergebniß an=
fangs iſolirter Forſchungen, ſodann einer Vereini=
gung von Ideen iſt, die man gegenwärtig ſo zu be=
trachten hat, als gehörten ſie eben ſo gut dem einen
wie dem anderen der beiden Herren an.

Dieſes vorausgeſchickt, wird die folgende Re=
flexion ſich dem Geiſte der Perſonen, welche die vor=
hergehenden Erläuterungen aufmerkſam geleſen ha=
ben, ganz natürlich darbieten: es gewährt einen
ſchönen Anblick, zwei geſchickte Practiker, zwei Männer
von Intelligenz und gutem Willen wahrzunehmen,
welche alle falſche Eigenliebe bei Seite gelaſſen, alle
Hoffnung eitlen Ruhmes aufgegeben und ihre
ganze geiſtige und manuelle Geſchicklichkeit vereinigt
haben, um dahin zu gelangen, ein ihren Mitbürgern
nützliches Werk hervorzubringen.

Der Revolver Mangeot=Comblain, Fig. 4,
giebt 5 Schüſſe und hat drei verſchiedene Größen=
nummern, welche nur durch die Länge und das Ca=
liber der Waffe verſchieden ſind.

Der Lauf hat 3 Züge für das kleine und 4 Züge
für das große Caliber; er bietet die Eigenthümlich=
keit dar, daß er ſehr gut gelagert, in ſeinem Hinter=
theile gut gebohrt und mit einem guten Korne ver=
ſehen iſt.

Obgleich das Syſtem mit ununterbrochener
Drehung eingerichtet iſt, d. h., obgleich dieſer Re=
volver durch den bloßen Druck des Fingers auf den
Abzug geſpannt werden kann, ſo hat man doch den
Hahn beibehalten zu müſſen geglaubt, indem das
Emporſteigen und Niederfallen dieſes Stückes weit
beſſer, als ein Percuſſionshammer den Augenblick
anzeigt, in welchen der Schuß erfolgt, und den

Schützen vor der Uebereilung eines zu raschen Abdrückens schützt.

Der Hahn hat ziemlich die gewöhnliche Gestalt,
aber keinen Kamm. Er ist mit Hammer und Bedeckung versehen; außerdem bewegt er sich in einer
Aussparung auf der rechten Seite des Schloßbleches.

Das Cylindergestell und das Schloßblech sind
ziemlich auf ähnliche Weise, wie bei der vorhergehenden Pistole des Herrn Comblain, eingerichtet: das
Gestell sitzt am Lauf und am Schloßblech; das
Schloßblech breitet sich noch hinter der Trommel
aus und verbindet sich mit der hölzernen Schäftung;
das Ganze bildet, mit einem Worte, eine einzige
Masse, mit Ausnahme der Ueberkleidung der linken
Seite des Schloßbleches.

Die Achsenspindel ist ganz so befestigt und wird
ebenso eingesetzt und herausgenommen, wie bei Comblain's Pistole mit unterbrochener Drehung; übrigens enthält dieselbe nicht die Feder an ihrer Spindel, indem der Gang des Apparates so regelmäßig
und so genau von Statten geht, daß man diesen
Hülfstheil nicht nöthig hat.

Der Ladestock ist gebrochen und unter dem Laufe
befestigt, läßt sich aber an der rechten Seite lösen,
sobald man ihn in Thätigkeit versetzen will.

Der Bügel und der äußere Theil des Abzuges
haben uns nur zu einer einzigen Bemerkung Veranlassung gegeben, und zwar zu nachstehender: diese
beiden Stücke sind hinlänglich weit nach Vorn angebracht, so daß die Wirkung des Fingers von Seiten
des Schützen ohne Belästigung, ohne Erschütterung
in der Waffe und gerade so erfolgen kann, daß eine
hinlängliche Kraft entwickelt wird.

Die hölzerne Schäftung ist mit dem metallenen
Theile der Pistole durch eine Zusammenfügung von
großer Festigkeit vereinigt.

Die Batterie (sonst auch die Theile des Schlosses genannt) spielt hinter dem Drehapparat, mit Ausnahme des Abzuges, der unter der Trommel thätig ist.

Der Hahn ist uns bekannt und wir sprechen jetzt nicht mehr davon.

Die Nuß hat keinen Einschnitt, aber an ihrer vorderen Portion, ungefähr an der Stelle, wo gewöhnlich die Rasten angebracht sind, hat man einen beweglichen Schnabel mit Charnier angebracht, und auf der entgegengesetzten Seite eine Kette befestigt.

Der bewegliche Schnabel dient als Hemmungsstück; er folgt dem Drucke des Abzuges und wirkt durch Vermittelung einer kleinen, flachen Feder, die mit ihm verbunden ist und den Zweck hat, ihn wieder auf seinen früheren Platz zurückzuführen. Dieser bewegliche Schnabel ist in Folge einer sehr empfindlichen Einrichtung, und die besonders bei dieser Art von Waffen äußerst nützlich ist, mit einer schwachen Rast, der sogenannten Indicationsrast, versehen, welche dem Schützen anzeigen soll, und zwar mittelst eines schwachen Geräusches, daß der Hahn loszugehen und niederzuschlagen im Begriff ist.

Die Kette wirkt auf den hintern Theil der Nuß; sie hakt sich mittelst einer Klaue an den oberen Schenkel der Schlagfeder.

Die Schlagfeder ist in einem Ausschnitte des Griffes angebracht und ist zusammengehängt mit einem Stück, welches die belgischen Büchsenmacher queue de bascule zu nennen pflegen.

Die kleine Batteriefeder hat die Bestimmung, den Abzug wieder an seinen Platz zurückzuführen, nachdem derselbe in Bewegung gesetzt worden war.

Der Abzug übt eine doppelte Wirkung auf das ganze System aus: die eine bezieht sich auf die

7*

Batterie, die andere auf den Drehapparat. So ist
z. B. 1) der Abzug mit einer Verlängerung in Ge=
stalt eines Stangenschnabels versehen, wodurch er
seine Bewegung der Nuß mittheilen kann, indem er
auf den beweglichen Schnabel dieses letzteren Stückes
wirkt, denselben von Unten ergreifend. 2) Der Körper
des Abzugs ist so eingerichtet, daß er in seinem
Laufe einen Hebel emporhebt, von welchem gleich
ausführlicher die Rede sein wird. Dieser Hebel nun
ersetzt zugleich den Hebel und den beweglichen Sten=
gel der Pistole des Herrn Comblain, und daraus
ergiebt sich, daß es noch immer der Abzug ist, wel=
cher die Bewegung des Apparates erzeugt.

Das Drehsystem besteht aus einer Achsenspindel,
einem Hebel und einem Cylinder oder einer Trommel.

Es ist schon zur Genüge von der Achsenspindel
die Rede gewesen, und wir kommen nicht wieder
darauf zurück.

Der Hebel besteht aus einer Feder mit zwei
Schenkeln und spielt im Innern des Schloßbleches
und längs einem verticalen Ausschnitte, welcher in
demjenigen Theile des Schloßbleches angebracht ist,
welcher der hinteren Seite der Trommel gegenüber=
liegt. Dieser Hebel liegt mit seiner breiten Seite auf
einer innern Erhöhung der rechten Seite, nämlich
derjenigen, welche mit dem Gestell, als einer mas=
siven Masse, zusammenhängt, und sie bewegt sich in
einer Aussparung, die auch inwendig an der linken
Seite, welche die Bedeckung bildet, angebracht ist.

Da der Hebel auf dem Abzuge liegt, so ist die
Folge davon, daß er sich erheben muß, sobald letz=
terer sich erhebt; außerdem sinkt auch der Hebel, so=
bald der Abzug wieder an seine frühere Stelle ge=
bracht worden ist, durch die Wirkung, welche die
kleine Batteriefeder auf ihn äußert, seinerseits wieder
herab, indem er dem Drucke nachgiebt, den die bei=

den Seiten des Falzes, in welchem er sich bewegt,
auf seine Feder ausüben; daraus ergiebt sich aber
von Seiten dieses wichtigen Stückes eine ununterbrochene Bewegung.

Der Schenkel, welcher den Hebelarm bildet, ist
mit einer Zange und einem Widerhalter versehen.
Die Zange liegt am vordern und obern Ende
des fraglichen Schenkels. Wenn der Hebel sich erhebt, so ergreift er die Verzahnung des Cylinders
und versetzt den Apparat in Drehung.

Der Widerhalter sitzt am untern Theile des
Hebelarmes; er besteht bloß aus einer Vorragung,
welche eine Ruhrast bildet und die an dem Fuße
selbst des genannten Schenkels angebracht ist. Wenn
der Hebel sich erhebt, erhebt sich der Widerhalter
ebenfalls, und auf diese Weise hemmt und hält er
den Cylinder fest, giebt ihm auch Festigkeit an irgend einem bestimmten Puncte. Der Hebel ist also
zugleich die bewegende und die regulirende Einrichtung des Drehapparates.

Wir gehen nun zur Trommel über.
Die Röhren derselben sind so gebohrt, daß die
Pulverkammer den Schaft eines Kegels darstellt, dessen
große Basis an der Seite der Zündkegel liegt, oder
mit andern Worten: die Röhren sind gegen ihren
Boden hin schwach ausgesenkt und gefräßt. Es ist
begreiflich, daß eine solche Einrichtung äußerst vortheilhaft sein müsse; in der That können die Zapfenkugeln, deren man sich bei dieser Art von Waffe bedient, obschon sie nicht erst mit Gewalt eingetrieben
werden, dennoch auf dem Boden der Seele durch die
bloße Compression erhalten werden, welche die Pfrö-
pfe ausüben.

Die Röhren werden geladen, ohne daß man
die Trommel aus dem Gestell zu nehmen braucht,
sobald man nur an der rechten Seite des Gestells

einen Einschnitt angebracht hat, welcher die Kugeln leicht an ihren Platz zu bringen gestattet.

Die Zündkegel sind mit den Pulverkammern ungefähr auf dieselbe Weise verbunden, wie es bei der Pistole (Fig. 3) des Herrn Comblain der Fall ist; da aber ihre Muscheln stärker ausgetieft und von besserer Gestalt sind, so lassen sie leicht die Trümmern der Zündhütchen entweichen. Auch ist noch zu bemerken, daß die warzenförmigen Höcker, welche eine Muschel von der andern trennen und die Zündkegel gegenseitig gegen ihr Feuer beschützen, dergestalt eingeschnitten sind, daß der Cylinder der Wirkung des Widerhalters gehorchen muß, von welchem weiter oben die Rede war.

Die Trommel besitzt eine regelmäßige, angemessene Drehung, und wenn sie in ihrem Gestelle liegt, so bewegt sich ihre vordere Fläche mit sanfter Reibung an der hinteren Oeffnung des Laufes. Da nun einestheils die Oeffnung des Laufes ausgetrichtert ist, welches den Eintritt der Kugel in die Seele des Laufes beim Austritt aus den Cylinderkammern erleichtert und folglich sowohl beträchtlichen Gasverlust, als auch eine unangenehme Erschütterung der Waffe verhindert; und da anderntheils der Sitz der Achsenspindel in eine kreisförmige Ausladung übergeht, welche sich genau an das Gestell anlegt: so geht hieraus hervor, daß die Gase, welche durch die Entzündung des Pulvers erzeugt werden, keine Gelegenheit finden, um in den Canal der Achsenspindel und noch viel weniger in die Batterie zu gelangen.

Der Schmutz, der deßhalb von dem Pulver herrühren könnte, kann hier fast gar nicht Statt finden, und es läßt sich deßhalb begreifen, daß der Drehapparat in seinem Gange selbst nach einem Schießen von langer Dauer keine Hemmung erfährt. In Be-

treff der Batterie muß hier bemerkt werden, daß, da
der Ausschnitt, in welchem der Hebel gleitet, so eingerichtet ist, daß er so wenig als möglich Spielraum gewährt, das Innere des Schloßbleches
gegen die äßenden Dämpfe von der Explosion des
Knallpulvers der Zündhütchen so zu sagen gänzlich
geschüßt ist.

Die Verzahnung der Trommel ist von großer
Einfachheit und auf folgende Weise eingerichtet: Auf
der vorderen Fläche des Cylinders um den Canal
herum, in welchem die Achsenspindel liegt, bemerkt
man einen Ausladungskranz, welcher gegen den hintern Theil des Schloßbleches spielt, eine Einrichtung,
die den Zweck hat, einen Zwischenraum zwischen der
Trommel und dem unten bezeichneten Theile zu lassen; endlich hat man an dem Kranze in Abständen,
die mit mathematischer Genauigkeit berechnet sind,
im Umkreise fünf kleine Zapfen ausgefeilt, jeden ungefähr 1 Millimeter hoch und ebenso auch im Durchmesser, und dieses ist nun die Verzahnung. Es läßt
sich nun leicht begreifen, daß die Zange des Hebels,
wenn man entweder mit der Waffe zu schießen beabsichtigt, oder den Apparat aus irgend einem Grunde
zu drehen wünscht, sobald man auf den Abzug
drückt, in die Verzahnung eingreift und die Bewegung dem Cylinder mittheilt.

Diese Combination, obschon wenig complicirt,
verseßt den Apparat mit großer Regelmäßigkeit in
Umdrehung; indessen glauben wir in Betreff desselben den nämlichen Tadel aussprechen zu müssen,
den wir schon gegen die Verzahnung nach dem Systeme von Comblain erhoben haben, nämlich,
daß es ganz unmöglich sei, die Abnußung oder den
Bruch der Zapfen zu repariren, indem der Verlust
eines der Zähne der Verzahnung denjenigen des
ganzen Cylinders nach sich zieht. Wir wiederholen

deßhalb: da die Verzahnung des Herrn Colt, eben=
sogut wie diejenige von Adams = Deane, einmal
allgemeines Eigenthum geworden ist und obigen
Herren nicht ausschließlich angehört, so wundern wir
uns, daß man das Zartgefühl so weit getrieben
habe, sich freiwillig die Benutzung von Theilen zu
versagen, welche die Mittel einer leichten Reparatur
gewähren.

Nun wollen wir uns noch einige Bemerkungen
erlauben, welche auf die verschiedenen Theile des Re=
volver's Mangeot=Comblain Bezug haben.

1) Die Einrichtung der Waffe hat man sehr gut
verstanden und zweckmäßig ausgeführt, sowohl in
Bezug auf den Mechanismus, als auch auf die Ver=
hältnisse.

2) Diese Pistole ist frei von fast allen Män=
geln, welche wir bei der Beschreibung der andern
Revolvers angedeutet haben.

3) Die Hauptstücke lassen durchaus Nichts zu
wünschen übrig und ihre Vereinigung ist vollkommen.

4) Man hat Sorge getragen, unter der Trom=
mel und über dem Schloßbleche hinlänglichen Raum
zu lassen, um die Zündhütchentrümmern für den Fall
beseitigen zu können, daß sie sich zwischen die er=
wähnten Theile setzen sollten.

5) Man hat sehr zweckmäßig eine Sicherung
an der Waffe angebracht, die in Folgendem besteht:
Längs der rechten Seite des Schloßbleches be=
findet sich eine Feder in Gestalt eines Pfeiles, deren
wirkendes Ende, auf den bloßen Druck des Fingers,
sich auf eine Schrägkante oder eine schiefe Fläche
legen kann, welche an dem untern Theile des Hahnes
neben der Schraube angebracht ist, welche diesem letz=
tern Stücke als Welle oder Zapfen dient und es mit
der Nuß verbindet. Die Wirkung dieser Verbindung
besteht nun darin, den Hahn zurückzuhalten, haupt=

ſächlich den Kopf oder den Hammer desſelben, und ihn um ungefähr 3 Millimeter zu iſoliren, wenn man entweder die Zündhütchen auffetzen, oder den Cylinder ſonſt in Drehung verſetzen will *).

6) Indem man den Hahn bei dieſem Revolver= Syſtem mit ununterbrochener Bewegung, wo folglich das Spannen durch den bloßen Druck des Fingers auf den Abzug erfolgt, beibehalten hat und indem man dieſen Hahn auf der rechten Seite der Waffe anbrachte, ſo hat man nicht allein eine ſehr große Schwierigkeit beſeitigt, ſondern auch einer Art von inſtinctivem Wunſch von Seiten des Schützen voll= kommen entſprochen, nämlich demjenigen, durch den Grad der Elevation des Hahns ziemlich genau den Augenblick zu kennen, wo der Schuß erfolgen werde.

7) Durch eine gut coordinirte Anordnung der Haupttheile und durch ein gut verſtandenes Eingrei= fen der Nebentheile iſt man endlich dahin gelangt, ein Revolver=Syſtem herzuſtellen, an welchem die ſtrengſte Kritik nichts auszuſtellen hat, denn es eig= net ſich ebenſo gut und mit dem beſten Erfolge zur Scheibenpiſtole, zur Taſchenwaffe, zum Gebrauch im einzelnen Kampf, wie zum Carabiner für die Cavallerie.

---

*) Wir haben auch ein anderes Exemplar dieſes Revolver's in unſern Händen gehabt, welches mit einer ganz anderen Si= cherung verſehen war. Der Hahn beſaß keine beſondere Schräg= fläche; dann ſah man ſtatt der pfeilartigen Feder eine Schraube in Wirkſamkeit mit flachem Kopf und von der Geſtalt eines Halbkreiſes. Wenn die geradlinige Seite der Schraube gegen den Körper des Hahns gedreht war, ſo konnte der Hahn nie= derfallen und ſein Hammer die Zündhütchen in Exploſion ver= ſetzen; wenn dagegen die krummlinige Seite der Schraube dem Hahne gegenüberſtand, ſo war derſelbe gehemmt in ſeinem Laufe, und der Hammer konnte nicht auf die Zündhütchen ſchlagen. Wir geben dieſer zweiten Sicherung vor der erſteren den Vor= zug. —

Nach dieser ausführlichen Erörterung könnte die Frage aufgeworfen werden, ob wir unsern Lesern den Gebrauch des Revolver's Mangeot-Comblain unter allen Bedingungen empfehlen und ob wir uns über die neue Waffe in einer Weise auslassen wollen, durch welche die Bescheidenheit der beiden Erfinder verletzt werden könnte? Dieses ist keineswegs unsere Absicht, denn wir setzen zu großes Mißtrauen sowohl in unsere Kenntnisse, als in unsere Vorliebe für die gedachte Waffe, so daß es nicht unsere Absicht sein kann, auf das Urtheil competenter Männer und wirklicher Waffenkenner einen Einfluß auszuüben; und dann legen wir auch auf unsern guten Ruf zu viel Werth, als daß wir den Verdacht der Lobhudelei uns zuziehen möchten. Da wir indessen berufen sind, unsere Meinung auszusprechen, so wollen wir dieses ganz ehrlich, ohne alle Nebenabsicht und ohne irgend eine Person zu berücksichtigen, bewerkstelligen.

Die Vorzüge, mit welchen der Revolver Mangeot-Comblain sich der Beurtheilung des Publicums darbietet, bestehen, unsers Erachtens, in Folgendem: in einer leichten und sichern Handhabung, in Genauigkeit des Mechanismus, in Solidität der innern Theile, in Schönheit und Zierlichkeit der äußern Formen, in Leichtigkeit der Waffe, Eindringungskraft, weiterer und sicherer Tragkraft derselben, in einer seltenen Vollendung der ganzen Waffe und außerdem noch in einer ansehnlichen Verminderung des Kaufpreises. Da nun für den Consumenten dieses Landes keine Prämie mehr für den ausländischen Fabricanten zu bezahlen ist, so ist leicht begreiflich, daß die Pistole, von welcher eben die Rede ist, weit billiger verkauft werden kann, als jene, von denen früher die Rede war.

Da der Revolver Mangeot-Comblain nicht verfehlen kann, seinen Verfertigern viel Ehre und Gewinn zu bringen, so ergiebt sich für die Herren Adams und Deane die Mahnung, unverzüglich die Vervollkommnungen zu benutzen, mit welchen Herr Mangeot seine Waffe ausgestattet hat, denn sonst könnten Erstere selbst in England unmöglich die wichtige Concurrenz gegen die künftigen Erzeugnisse der belgischen Fabrication aushalten.

Noch verschiedene englische Revolver.

J. K. Baker's Revolver-Pistole mit Hebelhahn.

Die in Figur 5 abgebildete Pistole hat das Eigenthümliche, daß man mit einer Hand den Hahn spannen, die Pistole drehen und abfeuern kann. Der Hammer A hat nämlich seine Drehungsachse bei a. B ist ein Hebel, welcher den Schwanz des Hammers bildet. Drückt man diesen mit dem Daumen herab, so wird dadurch der Hammer gehoben. Das Korn wird über einem auf der Oberfläche des Hebels b befindlichen Einschnitt genommen. In Folge dieser Einrichtung besitzt die Pistole einen sehr bedeutenden Vortheil, den gewöhnlichen Waffen dieser Art gegenüber.

Verbesserungen an Drehpistolen, welche sich William Moore und William Harris, Büchsenmacher in Birmingham, am 1. October 1852 patentiren ließen.

Die Erfindung besteht in der Anbringung eines Charniers an dem Gestell, welches die Kammern der Drehpistolen enthält, so daß der Lauf nach erfolgtem Abfeuern leicht von der Vorderseite der Kammer entfernt werden kann, wodurch das Laden der Kammer bedeutend erleichtert wird.

Figur 6 stellt eine solche Pistole im Verticaldurchschnitte, Figur 7 in der Seitenansicht dar. a ist der Lauf, welcher durch das Charnier b mit dem Gestell c verbunden ist. Figur 6 zeigt das Gestell geschlossen, Figur 7 geöffnet. Wenn man den Lauf an seine Stelle bringt, so werden die Enden c', c'' durch folgenden Schluß miteinander verbunden: e' ist eine Feder, welche gegen die Seite des Gestells c drückt und einen Stift f mit geneigter Fläche enthält, wie die Ansicht Figur 8 zeigt. Dieser Stift schnappt bei'm Herabbewegen des Laufes in das Loch g des Gestells c. Will man den Lauf in die Höhe heben, so drückt man auf den Knopf h, wodurch der Stift f aus dem Loche gedrängt wird. i ist eine conisch ringförmige Hervorragung an dem Ende des Laufes a, welche genau auf die trichterförmige Mündung der Kammern k, k des rotirenden Cylinders l paßt. Diese Mündungen werden gegen jene Hervorragung im Moment des Abfeuerns auf folgende Weise gedrückt: m ist eine hohle, feste Achse, um welche der Cylinder l rotirt. Letzterer ist an die Achse n festgekeilt, welche durch die feste, hohle Achse m in das Innere des Schlosses tritt und an ihrem Ende die Scheibe o enthält, an deren Vorderfläche eine Reihe Sperrzähne angebracht sind. In Folge des Druckes auf den Drüker p ergreift der Arm oder Hebel q, welcher durch die Feder r gegen jene Scheibe gedrückt wird, einen der Sperrzähne und ertheilt dem Cylinder eine Sechstelsdrehung, wodurch eine Kammer k dem Laufe a gegenüber zu liegen kommt. Die fortgesetzte Bewegung des Drückers bringt die Schulter s des Gelenkes t gegen das Ende des Schiebers u, drängt den Schieber gegen die hintere Fläche des Cylinders l und veranlaßt letztern, auf der hohlen Achfe m und der Achfe n hinzugleiten und die trichterförmige Mündung der Kammer k gegen die conifche Mündung i des Laufes a zu drücken, so daß während des Abfeuerns die Kammer k mit dem Lauf a einen einzigen Lauf bildet. Hat der Finger den Drücker so weit, als es geht, bewegt, so verläßt die Schulter s des Gelenkes t die Schulter v des Drückers und der Hammer fällt herab; der Schieber u aber wird an seiner Stelle gehalten durch den Druck der Schulter v des Drückers, indem diese mit ihm in dem Augenblicke in Berührung kommt, wo die Schulter s des Gelenkes t ausgelöst wird.

Sobald man den Hammer wieder hebt, wird der Schieber u durch die Feder w zurückgedrängt und der Cylinder l wird so zurückgedrückt, daß er sich selbst von dem Laufe a auslöst, indem die Spiralfeder x das Stück y gegen die vordere Fläche des Cylinders drückt. Die hintere Fläche des letztern besteht aus einer Reihe geneigter Ebenen, so daß, wenn der Schieber u vorwärts gedrückt wird, die gegen das Ende des Schiebers sich stützende Fläche den Cylinder veranlaßt, während er sich dreht, vorzurücken und die trichterförmige Mündung der Ladekammer mit dem hervorstehenden Ende des Laufes in dichte Berührung zu bringen.

Indem man den Drücker so weit, als es geht, anzieht und nachher den Finger wieder losläßt, entfernt sich der Hammer oder Hahn von der Warze z und bleibt in dieser Lage gespannt, bis er wieder durch den Druck des Fingers gegen den Drücker ausgelöst wird. Das Spannen des Hahnes i geschieht auf folgende Weise: Indem man ihn nämlich aufzieht, verläßt der Schieber u, durch die Feder w gedrängt, die Schulter 2, und da er nun durch die Feder w unter die Schulter geschoben wird, so kann der Hahn nicht ganz herabfallen, indem sich der untere Theil der Schulter 2 gegen den obern Theil des Schiebers u stützt. Wenn aber der Drücker p so weit gezogen wird, daß sich der Hammer von ihm auf die beschriebene Weise auslöst, so wird der Schieber durch die Schulter v des Drückers gegen den Cylinder l gedrückt, so daß, wenn der Hammer herabfällt, der Schieber w bei'm Loslassen des Fingers vom Drücker sich gegen die senkrechte Fläche der Schulter 2 des Hammers lehnt; und nur, nachdem der Hammer theilweise gehoben worden ist, nimmt der Schieber u die dargestellte Lage ein, indem er unterhalb der Schulter 2 entweicht.

Die Hauptvorsorge, welche bei'm Oeffnen des Gestells zum Zweck des sicheren Ladens nöthig ist, besteht darin, daß man zuerst den Hahn in Ruhe setzt. —

Verbesserte Construction der Drehpistolen oder Revolvers von James Webley zu Birmingham, am 20. März 1853 patentirt.

Fig. 9 stellt eine Drehpistole, welche mit einigen dieser Verbesserungen versehen ist, im senkrechten Längendurchschnitte dar. a ist der feste Lauf; b der rotirende Cylinder mit den Kammern oder Läufen, worin die Detonation des Schießpulvers erfolgt; c der Drücker und d der Hahn oder Hammer, welcher sich um die Achse e dreht. An das untere Ende der Feder g ist ein Stift f befestigt und bei h mit der abstehenden Seite des Hammers d verbunden. Dieser Stift tritt durch ein in dem Hammer befindliches Loch und sein schräg abgeschnittenes Ende ragt an der Seite des Hammers hervor. Der Kopf i des Drückers c lehnt sich gegen den Rücken des Stifts

f; und wenn man den Drücker c anzieht, so geht
der Hammer in die Höhe, bis der Kopf i des Drük-
kers unter dem Stift f hinweggeht, worauf der Hammer d herabfällt und die Entladung des Pistols
erfolgt. Sobald man den Finger von dem Drük-
ker c zurückzieht, kehrt der Kopf des Drückers über
die geneigte Fläche des Stiftes f zurück, drängt den
letztern zurück und nimmt die in Fig. 9 dargestellte
Lage wieder ein. Der Stift f aber wird durch seine
Feder g wieder vorwärts geschnellt und der Kopf i
des Drückers greift hinter ihn ein. Der Arm l,
mittelst. dessen der Cylinder h gedreht wird, ist bei
k an den Hammer befestigt, und ein Aufhälter, um
den Cylinder an der geeigneten Stelle anzuhalten,
ist mit dem obern Theile des Drückers verbunden.
Soll der Hammer durch einen theilweisen Zug des
Drückers von der Warze m aufgehoben werden und
in dieser Lage bleiben, bis eine zweite Bewegung
des Drückers ihn weiter hebt und auslös't, so daß
das Pistol losgeht, so bedient man sich eines Hebels
n, welcher sich um o dreht und durch die Feder p
gegen die untere Seite des Hammers gedrückt wird.
Ist der Drücker c so weit angezogen, daß er den
Zahn q über das Ende r des Hebels n hinausbringt
und hört nun der Druck gegen ihn auf, so legt sich
das Ende des Hebels n hinter den Zahn q und verhindert das Herabfallen des Hammers. Zieht man
den Drücker an, bis sein Kopf i unter dem Stift f
hinweggleitet, so hebt sich die auf der Schulter des
Drückers ruhende Feder s so weit, daß sie sich gegen
das Ende n^1 des Hebels n lehnt und das Ende r
von dem Zahn q auslös't; somit wird der Hammer
d durch den Hebel n nicht weiter an seinem Falle
verhindert.

Der zweite, in Figur 10 dargestellte, Theil dieser Erfindung besteht in einer andern Methode, den

Hahn der Drehpistolen in Ruhe zu stellen. Der Kopf t¹ des Drückers ist nämlich zugespitzt und ein an der unteren Seite des Hahns v befindlicher Zahn u hat eine solche Form, daß, wenn man durch Aufsetzen des Daumens bei w den Hammer zum Theil hebt, der Kopf t¹ hinter den Zahn u tritt, daher durch Anziehen des Drückers nicht ausgelöst werden kann. Zieht man aber den Hammer v zurück, bis der Kopf t¹ hinter die Schulter x einschnappt, so befindet sich der Hammer in einer Lage, wo er durch Anziehen des Drückers t leicht ausgelöst werden kann. y ist der Arm, durch welchen bei'm Aufziehen des Hahns der Cylinder gedreht wird.

Die Erfindung bezieht sich drittens auf eine Methode, den Lauf a, Fig. 9, mit dem Pistolenschaft zu verbinden. An die untere Seite des Laufes ist nämlich ein Bolzen 1, Fig. 11, befestigt, welcher in einem, in den Pistolenschaft 3 gearbeiteten, cylindrischen Loch 2 gleitet. Der Lauf a läßt sich nun das auf das Charnier 4 herabschlagen, so daß der drehbare Cylinder von der Achse 5 abgenommen werden kann. Figur 10 zeigt eine Modification dieser Anordnung. Hier ist nämlich der Lauf 8 durch ein Charnier q mit dem Schaft 10 verbunden; das Ende der Achse 11 des Kammerncylinders ist oben abgerundet, damit der Theil 12 um die Achse q sich drehen läßt.

Eine weitere Verbesserung besteht endlich darin, daß der mittlere Theil 5 der Achse des Cylinders viereckig oder prismatisch ist, so daß sich Oel und Staub in dem dadurch gebildeten Raum sammeln können und folglich der Bewegung des Cylinders nicht hinderlich werden.

Verschiedene andere Revolver.

Wenn wir jetzt noch nicht unsere Schrift über die Revolvers und die Erfinder derselben beendet haben, so möge man glauben, daß es die Umstände und nicht die Sucht, diese Gegenstände zu bekritteln, sind, welche uns veranlassen, die Blätter dieses Werkchens noch zu vermehren. Wir haben uns nämlich vorgenommen, treu die Zustände zu beschreiben, in welchen sich die Fabrication der Waffenart befand, von welcher wir eben handeln. Und da wir eben von einigen neuen Revolvers Nachricht erhalten, während es noch Zeit ist, ihnen ein Capitel zu widmen, so ergreifen wir die Feder von Neuem, um unserer Aufgabe völlig zu genügen; jedoch wolle man uns vorher die folgenden Bemerkungen gestatten:

Der Revolver des Herrn Colt erregte gleich nach seiner Erfindung so großes Aufsehen, und derjenige von Adams-Deane erfüllte ebenso erfolgreich als schnell die Hoffnungen hinsichtlich der Verbesserungen, welche der sogenannten amerikanischen Pistole so sehr Noth thaten, und endlich hatte das Publicum die wunderbaren Geschichten, welche man ihm über diese Pistole erzählt hatte, mit so großer Spannung vernommen, daß die Aufmerksamkeit der Büchsenmacher, der Fabricanten und aller derer, welche sich mit Waffen beschäftigten, sich augenblicklich mit einer Art von enthusiastischer Vorliebe auf diesen Revolver warf. Hierin wurde jeder, vielleicht weniger von dem Bestreben sich zu bereichern, als von der den Menschen angeborenen Neigung zu Forschungen, wie auch von jenem Geiste der Beweglichkeit und des Selbstvertrauens getrieben, der das charakteristische Zeichen der gegenwärtigen Zeitepoche ist.

Wir gestehen es ohne alle Verlegenheit, daß unsere Stellung es nicht gestattet hat, die verschiedenen Modelle der Drehlingswaffen zu sammeln, welche in Europa ausgeführt worden sind, seit man auf diese Gattung des Waffensystems zurückgekommen ist; übrigens war bis zur Erscheinung der Pistole des Herrn Colt, außer vielleicht in Frankreich und Belgien, nichts der Erwähnung Werthes vorgebracht worden. Wir sind indessen bemüht gewesen, uns hinsichtlich der neuen Erzeugnisse dieser Art so viel wie möglich auf dem Laufenden zu erhalten.

Wenn wir übrigens auf den ersten Seiten dieser Schrift uns nicht ausführlicher über die Verzweigungen des Revolver's ausgelassen haben, so ist dieß hauptsächlich um deßwillen geschehen, weil wir die Absicht hatten, einzig und allein von der Pistole zu handeln, und deßhalb haben wir es auch vermieden, von der Flinte mit drehbarer Trommel zu sprechen. Aber die Forschungen, die Neuerungen, die Modificationen sind nun einmal im schönsten Gange; statt einen milderen Character anzunehmen, wird das Fieber vielmehr heftiger und sogar ansteckender Art. Statt dabei zu verweilen, das Gute zu benutzen, was in der neuesten Zeit zum Vorschein gekommen, oder es noch zu verbessern, fängt man sogar an, veraltete Dinge auszugraben, alte Systeme von Neuem aufzufrischen, elende Copien zu verfertigen, und dieses Alles unter andern Namen, während gewisse Erfinder einen noch kühneren Weg einschlagen, indem sie sogar das Schießpulver durch Knallpulver ersetzen. Deßhalb sind wir denn auch genöthigt, die von Vornherein gezogene Grenzlinie gegen unsern Willen zu überschreiten. Noch eine andere Rücksicht ist die: da Belgien, dieses classische Land der Freiheit, gern seine Häfen allen Unglücklichen, allen gefallenen Herrlichkeiten, allen getäuschten Hoffnungen,

wie auch gesunkenen Industriezweigen so gern öffnet,
so hat die Landschaft Lüttich ihrerseits allen Revol=
vers der Welt Gastfreundschaft gewähren zu müssen
geglaubt. Ein solcher Zustand der Dinge hat offen=
bar seine gute und seine böse Seite. Wenn aber die
Lütticher Fabricanten auf den Gedanken verfallen
sollten, so schlechte und so gefährliche Waffen zu
verfertigen, wie eine von denen, deren später gedacht
wird, so dürften sie bald wieder von der Höhe her=
absinken, die sie bis jetzt erreicht haben, und damit
zugleich in völligen Mißcredit gerathen.

Ein amerikanischer Revolver.

Kurze Zeit nach den Versuchen von Lenor=
mand, Devisme und Herrmann, schlug Herr
Jobard der belgischen Regierung eine Flinte mit
14 Schüssen vor. Diese Flinte oder Muskete wurde
aus Gründen, die nicht hierher gehören, nicht ange=
nommen; indessen hatte sie ungeachtet ihrer Mängel
einen Stempel, aus welchem sich abnehmen ließ, was
man von einem Manne zu erwarten habe, dessen
unermüdliche Geistesthätigkeit, Kühnheit und Gründ=
lichkeit der Kenntnisse, mit einem Wort, dessen Uni=
versalität im Puncte industrieller Kenntnisse durch
ganz Europa zum Sprüchwort geworden ist.

Ungefähr zwei Jahre später kam in den Ver=
einigten Staaten Amerika's eine Flinte zum Vor=
schein, welche auf diejenige des Herrn Jobard ba=
sirt war. Bei der Entfernung, der Schwierigkeit der
Communicationen und der absoluten Unwissenheit,
in welcher sich der gemeine Mann hinsichtlich der
Priorität des Herrn Jobard befand, nahmen die
Herren Amerikaner sehr günstig die angebliche Er=
findung eines der unverschämtesten Freibeuter, der
jemals existirt hat, auf.

8 *

Ein merkwürdiges Ereigniß! Der betrügerischen Einführung von Jobard's Flinte verdanken die Amerikaner die große Vorliebe, welche sie seit der Zeit für den Revolver an den Tag gelegt haben.

Von dieser Zeit an bis zu jener, wo Colt's Pistole zum Vorschein kam, sind in Amerika eine Menge Revolvers aufgetreten; Herr Colt hatte indessen keine großen Schwierigkeiten zu überwinden, um den Sieg über seine Vorgänger davonzutragen; denn die Pistolen der Letzteren stammten von mehr oder weniger jämmerlichen Systemen ab, mit denen man in Europa experimentirt hatte, waren sämmtlich von einem elenden Gemächte, vom schlechtesten Mechanismus und von notorischer Werthlosigkeit.

Zur Unterhaltung des Lesers wollen wir eines dieser Modelle, wie es der Zufall bietet, beschreiben, und da uns der Name seines Erfinders unbekannt ist, wollen wir es den amerikanischen Revolver nennen.

Die Pistole gewährt eine unbestimmte Zahl von Schüssen, so daß wir Exemplare dieser Waffe gesehen haben, welche auf 7, auf 8 und selbst auf 10 Schüsse eingerichtet waren.

Der Lauf ist mit der Schäftung durch ein Gestell, welches unter dem Drehsysteme liegt, und mit Hülfe einer darüber liegenden beweglichen Verschließung verbunden.

Der Griff bietet weder Zierlichkeit noch Leichtigkeit dar.

Die Schloßtheile besitzen ein schlaffes und weiches Spiel, so daß sie aus der Kindheit der Kunst sich herzuschreiben scheinen.

Der Hahn und der Abzug sind unter der Waffe, der eine vor dem andern und in einer Reihenfolge angebracht. Wenn man den Hahn spannen will, muß man den Kamm desselben nach Hinterwärts ziehen, und sogleich schiebt sich eine Hemmung, auf der Verlängerung des Hahnes angebracht, in einen Einschnitt, welcher am vordern Theile des Abzuges angebracht worden ist; bei'm Abdrücken löf't sich die Hemmung aus der Rast. Dieses wäre Alles, was über die Batterie zu sagen ist, welche, wie man bekennen muß, sehr einfach und auch sehr wandelbar ist.

Der drehbare Cylinder ist flach und einem Rade ähnlich, dabei nur ein Wenig dicker, als das Caliber der Kugeln, von denen Gebrauch gemacht wird. Er sitzt auf einer kleinen Spindel oder einem Zapfen am Gestell; endlich bewegt er sich nach Art einer Mühle horizontal, d. h. von Links nach Rechts, oder von Rechts nach Links und nicht von Oben nach Unten, oder von Unten nach Oben.

Die Kammern für die Ladung sind um ein rundes Band, welches die cylindrische Oberfläche des Rades bildet, angebracht; folglich ist jede Mündung mit einer verschiedenen Richtung versehen, und der Mittelpunct der massiven Masse ist gerade der Punct, wo die verschiedenen Pulversäcke convergiren.

Es besteht weder eine Bewegungsvorrichtung, noch eine Verzahnung, um die rotirende Bewegung hervorzubringen. Wenn man eine geladene Kammer an die hintere Oeffnung des Laufes bringen will, muß man erst mit der rechten Hand auf das Ende einer Feder drücken, die am Anfange des Griffes liegt und an ihrem anderen Ende mit einem Stifte versehen ist, der als Widerhalter dient; alsdann dreht man das Rad mit der linken Hand und hält es mit Hülfe des erwähnten Stiftes an der gewünschten Stelle fest.

Der Cylinder ist auf seinem Zapfen mittelst einer eisernen flachen Schiene befestigt; was einige

Aehnlichkeit mit dem Verschlusse der Flinte der Herren Montigny darbietet. Diese Schiene hängt mit dem Laufe durch eine Gelenkverbindung zusammen (zwei Schildzapfen, welche rechts und links am Laufe sitzen); sie liegt auf der oberen Fläche des Rades, schließt sich an den Griff in Gestalt eines queue de bascule und hält sich in eine gewisse Feder, die am Kolben angebracht ist. Die fragliche Feder hat die Gestalt eines Hakens und wirkt wie ein beweglicher Knopf.

Der Mechanismus des Apparates ist also von notorischer Unzulänglichkeit, aber darin würde das geringste Uebel liegen, wenn der Gebrauch der Waffe nicht zugleich große Gefahr darböte, wie wir jetzt nachweisen wollen.

Da der Hahn unter dem Apparate angebracht ist, so befinden sich die Zündkegel auf der unteren Fläche des Rades, und ihre Mündung ist nach der Erde gerichtet. Da nun der Durchmesser des Rades, hinsichtlich der Zahl von Schüssen, für welche die Pistole eingerichtet worden, allzu gering ist, so folgt daraus, daß die Zündkegel einander zu nahe stehen, und daß die Flügel ihrer Muscheln sehr wenig Dicke haben. Dieses ist aber noch nicht Alles, sondern es besteht ein weit schlimmerer Fehler in der Structur dieses amerikanischen Revolver's.

Da das Rad mit der Hand und in horizontaler Richtung gedreht wird, so war es unmöglich, daß die untere Fläche des Cylinders sich genau auf die obere Fläche des Gestelles lege, ohne eine beträchtliche Reibung zu erzeugen, die schwer zu besiegen ist. Man war also genöthigt, zwischen diesen beiden Theilen Spielraum zu lassen. Da aber die Flügel der Zündkegel die untere Fläche des Rades bilden, so folgt daraus, daß das Feuer eines Zündhütchens sich mehren andern Zündhütchen zugleich mittheilen kann. Und wenn man sich jetzt erinnert, daß die Röhren des Cylinders verschiedene Richtungen einnehmen, so läßt sich begreifen, welche schrecklichen Zufälle eintreten können, sobald der Schütze seine Waffe unvorsichtig abfeuert, während mehre Personen in seiner Nähe sich befinden.

Der Erfinder dieser Höllenmaschine hatte selbst eingesehen, wie mangelhaft sein System sei, denn er kam auf den Gedanken, einen Mantel hinter das Rad zu bringen. Diese Bedeckung vermag nun allerdings den Schützen, aber nicht die Umstehenden zu schützen. Wir leisten deßhalb in Bezug auf den Revolver des Herrn Colt ehrenvolle Abbitte: hätte er wirklich kein anderes Verdienst gehabt, als eine Waffe der eben erwähnten Art zu verdrängen, so würde der amerikanische Obrist schon dadurch allein sich um sein Land ein großes Verdienst erworben haben.

Wir haben diejenigen Provinzen Frankreichs, Spaniens, Italiens besucht, wo die Industrie noch am Weitesten zurück ist; wir sind bis zu den französischen Antillen gekommen; wir sind Algier nach allen Richtungen durchwandert, und nirgends haben wir, nicht einmal unter den Bergbewohnern Kabyliens, nicht einmal unter den Stämmen, welche an den Grenzen der Wüste Sahara herumziehen, in den Ländern, wo der Schmied auf der Erde sitzt, den Ambos zwischen seinen Beinen haltend, wo man sich eines Steines als Hammer bedient, wo der Blasebalg aus einer Fuchshaut besteht, die man mit dem Munde aufbläf't und entweder mit dem Fuße oder mit dem Knie, oder unter dem Arm zusammendrückt: nirgends, müssen wir bekennen, haben wir einen Eisenarbeiter gefunden, welcher, wie ungeschickt er übrigens auch war, nicht auf den ersten Blick eingesehen hätte, wie viel Gefahr mit der Anwendung

des Revolvers verbunden sei, von welchem eben die
Rede war. Indessen giebt es in Lüttich Fabricanten,
welche dergleichen Waffen fabriciren und Käufer,
welche sie kaufen!

Wir sind gewiß ein warmer Vertheidiger der
Handelsfreiheit. Der Industrie Hindernisse in den
Weg legen, heißt nach unserer Ueberzeugung ihren
Aufschwung lähmen. Die industrielle Freiheit darf
indessen niemals in völlige Gesetzlosigkeit ausarten,
und man darf nicht zum Nachtheil der Sicherheit
zu vertrauensvoller Personen davon einen Mißbrauch
machen; und wenn die Existenz einer großen Zahl
von Bürgern durch die Habsucht der Einen oder die
Unwissenheit der Andern in Gefahr kommen könnte,
so würde es keine willkürliche, vielmehr eine väter-
liche Handlung der Regierung sein, wenn sie die
Verbreitung von Waffen verbietet, deren Unschädlich-
keit nicht vor einer von ihr eingesetzten Commission
bewiesen worden ist.

Wir wünschten deßhalb, daß die Revisoren,
Controleure und andere Angestellte des Staates
in dieser Beziehung sich nicht bloß darauf be-
schränkten, einzeln die Läufe und die Cylinder zu
prüfen, sondern daß sie auch beauftragt würden, die
zusammengesetzten Waffen zu untersuchen, und daß
es ihnen gestattet wäre, ohne Gnade diejenigen
Exemplare zu zertrümmern, welche nicht die Bedingungen gehöriger Sicherheit erfüllen; auch sollten
die höhern Beamten, welche die Prüfung der Gewehre zu überwachen haben, mit weitreichenden
Vollmachten versehen sein, um jede Waffe confis-
ciren zu können, die im Modell von der Corporation
der Büchsenmacher und Fabricanten nicht gebilligt
worden ist.

Der Revolver Haaken-Plondeur, mit unterbrochener Drehung. Fig. 12.

Eine Person, die vor Kurzem aus Lüttich angekommen war, legte uns einen Revolver von zierlicher Form, von sehr schönem Aeußeren, aber von einem sehr mangelhaften Mechanismus vor, und dieses ist der Revolver Haaken-Plondeur.

In der That, Herr Haaken-Plondeur hat sich den Kopf nicht sehr anzustrengen gebraucht, um diese Pistole herzustellen, denn er hat sie mit Hülfe zahlreicher Entlehnungen, so zu sagen aus einer Menge fremder Stücke zusammengesetzt. Wenn man die Armuth des Systemes, seinen gänzlichen Mangel an Originalität in Erwägung zieht, so wird man unangenehm ergriffen durch den Contrast, welcher zwischen der zierlichen Form und dem eigentlichen Werth des Gewehres obwaltet.

Auf den ersten Blick scheint dieser Revolver mit demjenigen von Joseph Lang große Aehnlichkeit zu haben. Gleich Letzterem ist er auf sechs Schüsse, mit unterbrochener Drehung und den Hahn an der Seite eingerichtet, aber man erkennt bald die Nachbildung verschiedener bekannter Systeme, bis vielleicht auf einen drehbaren Ring, dessen Erfindung wir dem genannten Fabricanten nicht streitig machen wollen.

Jetzt wollen wir indessen die Waffe in Kürze zerlegen:

Der Kolben ist zu stark gekrümmt, wodurch das Ende des Laufes sich gern senkt.

Die ganze Einrichtung der Batterie erinnert an diejenige der sogenannten schottischen Taschenpistolen. Damit wollen wir aber keineswegs sagen, daß diese Zusammensetzung eine vollkommene sei, indem vielmehr viel daran fehlt.

Die Nuß hat drei Raften. Spannt man alfo den Hahn oder läßt man ihn nieder, fo vernimmt man ein dreimaliges Knacken, was nichts weniger als angenehm ift.

Die Schlagfeder ift fchlaff, und folglich fchlägt der Hammer nicht mit der gehörigen Kraft nieder; auch find die Verfager häufig, fobald man nicht fehr dünne Zündhütchen anwendet.

Die Zündkegel find, wie bei der Piftole von Jofeph Lang und Barnett, auf der cylindrifchen Oberfläche der Trommel angebracht, d. h., man hat ihnen eine der Achfe des Cylinders entgegengefetzte Richtung gegeben. Deßhalb können die Zündhütchen fich verfchieben und abfallen, fobald die Trommel in Bewegung verfetzt wird, und diefes ift eine neue Urfache von Verfagern. Um diefen Uebelftand zu befeitigen, ift Herr Haaken-Plondeur auf den Gedanken gekommen, die Zündkegel in kleine conifche Mufcheln einzufetzen, aber er hat nicht bemerkt, daß er dadurch die Befeitigung der Zündhütchentrümmern fehr erfchwert.

An der hintern Fläche der Trommel bemerkt man in einer Kreislinie fechs kleine Löcher, folglich eine ähnliche Einrichtung, wie bei der amerikanifchen Piftole, von welcher fchon die Rede war, um die Bewegung zu reguliren.

Auf der Fläche der verticalen Bedeckung der Batterie befinden fich der Trommel gegenüber zwei Stifte oder Spitzen. Der eine ift abhängig von einem beweglichen Ring, und diefer Ring, welcher in der ebenerwähnten Bedeckung eingelaffen ift, gehorcht der Wirkung der Schloßtheile und ift für den Zweck angebracht, um der Trommel ihre drehende Bewegung mitzutheilen. Man begreift deßhalb, wie der erfte Stift in das Loch eintritt, welches neben dem Canale der Achfenfpindel fich befindet. Der andere

Stift hat einen festen Stand und soll verhindern, daß der Cylinder sich nicht zur unrechten Zeit drehe, weßhalb er sich succeſſiv in die oben bezeichneten sechs Löcher setzt. Die erſten Revolvers von Herr-mann beſaßen einen ähnlichen Stift.

Die eine dieſer Spitzen erzeugt alſo die Bewe-gung und die andere regulirt den Apparat. Uebri-gens erfüllen ſie ihre Functionen mit ſo wenig Ge-nauigkeit, und der bewegliche Ring ſelbſt beſitzt einen ſo wenig regelmäßigen Gang, daß die Trommel un-aufhörlich ſchlottert; auch ſchlägt der Hahn ſelten ge-rade auf die Mündungen der Zündkegel, bald näm-lich mehr nach Rechts und bald mehr nach Links, was eine unerträgliche Erſcheinung iſt.

Ungeachtet dieſer Mängel mußten wir doch die Art der Befeſtigung des Cylinders auf ſeiner Spin-del bewundern, indem dieſelbe unter allen Befeſti-gungsarten, die wir bis jetzt beſchrieben haben, ſicher-lich die einfachſte und bequemſte iſt, und zu gleicher Zeit das Herausnehmen oder das Einſetzen der Trom-mel, wie auch das Laden der Kammern am Beſten geſtattet. Aber jemehr wir dieſen Revolver unter-ſuchten, deſtomehr erinnerten wir uns an ein ähnli-ches Machwerk, welches uns vor langer Zeit vorge-kommen war, ſo daß die Erinnerung daran unſerm Gedächtniſſe beinahe entfallen war.

Die Spindel bildet die Achſe des Cylinders. Sie beſteht aus einem Stab, welcher durch die Zer-legung der Batterietheile iſolirt wird. Sie iſt am Geſtelle befeſtigt und trägt an ihrem Ende einen Ein-ſchnitt in Geſtalt eines Schubfaches und dann eine Spiralfeder. Dieſe Feder nun iſt mit einem Schna-bel verſehen, der in das genannte Schubfach eingreift und ſich in einen flachen Haken hängt, auf welchen wir gleich weiter zu ſprechen kommen werden.

Der Lauf ist an seinem obern und untern Theile mit einem flachen Bande versehen, welches durch ein Gelenk an das Gestell geschlossen wird. Unter dem Laufe befindet sich eine flache Verlängerung, welche hakenförmig zugeschnitten ist und sich in das oben-angedeutete Schubfach setzen soll. Diese hakenför-mige Verlängerung soll mit Hülfe der Feder, je nach den Umständen, den Cylinder an seiner Stelle er-halten oder eine Ortsveränderung desselben gestatten. Man würde partheiisch erscheinen, wenn man nicht anerkennen wollte, daß diese Hakenverbindung mit ebenso viel Geschmack als Vortheil behandelt wor-den sei.

Angenommen, der Cylinder sollte herausgenom-men werden, so zieht man an der Spiralfeder, ihr Schnabel löst sich, der Haken wird frei, und versetzt man durch eine scharfe Bewegung den beweglichen Lauf nach Aufwärts, so läßt sich die Trommel, welche durch Nichts mehr festgehalten wird, sogleich heraus-nehmen.

Angenommen dagegen, es handle sich darum, die Trommel wieder an ihre Stelle zu setzen, so wird der Lauf emporgenommen, die Trommel auf ihre Spindel geschoben und umgedreht, bis die Stifte des Gestells sich in die kleinen Löcher des Cylinders se-tzen, worauf man den Lauf niederläßt. Alsdann tritt der Haken in seine Schublade, denn das Ge-wicht des Laufes bewirkt ein Nachgeben des Feder-schnabels; aber bald nöthigt die Elasticität derselben Feder den Schnabel, seinen natürlichen Ort wieder einzunehmen, so daß der Lauf angehakt und der Cy-linder festgehalten ist. Alles dieses läßt sich in eini-gen Secunden ausführen, nur muß man dabei die Vorsicht anwenden, den Hahn emporzuheben, um der Trommel die Freiheit zu gewähren, sich zu verschie-ben oder zu fixiren.

Als wir darüber nachdachten, womit die Hakenverbindung dieser Pistole Aehnlichkeit habe, erinnerten wir uns endlich einer gewissen Flinte mit
Trommel, welche vor ungefähr 15 Jahren die Aufmerksamkeit in Anspruch nahm. Herr Joseph La-
vallée beschreibt diese Waffe in seinem Werke, welches den Titel führt: La Chasse à tir en France
in folgender Weise:

„Im Jahre 1842 erfand Herr Philippe Ma-
thieu für die Flinte mit Trommel einen sehr sinn-
reichen, aber äußerst complicirten Mechanismus. Sein
Schloß ist so eingerichtet, daß, wenn der Finger auf-
hört, auf den Abzug zu drücken, so spannt sich der
Hammer von selbst, und ein neuer Pulversack nimmt
die Stelle des abgeschossenen ein; man kann demnach alle Schüsse thun, ohne daß man die Flinte
von der Wange wegzunehmen braucht.

„Die Trommel besteht aus fünf oder sechs Röhren von geringer Länge, die in Gestalt eines Bündels zusammengelöthet sind. In der Mitte dieses
Bündels und parallel mit der Richtung der Röhren
läuft eine Spindel, auf welcher letztere sich umdrehen,
so daß sie successiv den obern Theil der Waffe einnehmen können. Sie dienen auch der Reihe nach
einem längern Laufe, jedoch mit dem ihrigen von
gleichen Caliber, als Pulversack.

„Der Lauf ist auf der Verlängerung der stäh-
lernen Spindel, welche die gemeinschaftliche Achse
bildet, befestigt, und diese Achse ist mit ihrem entgegengesetzten Ende in dem Gestelle befestigt. Der
Lauf wird noch mit dem Gestelle durch eine flache
eiserne Schiene verbunden, welche in der Längenrich-
tung der Trommel läuft.

„Man ladet die Röhren oder Kammern, welche
das Bündel bilden, und obgleich jede von ihnen
ihren Zündkegel und ihr Zündhütchen hat, so kann

man doch, da nur ein einziges Schloß und ein einziger Hammer vorhanden sind, nur einen Schuß auf einmal thun. Wenn man einen Schuß gethan hat, bringt eine geringe drehende Bewegung eine neue geladene Kammer, statt der eben abgeschossenen, hinter den großen Lauf. Auf diese Weise fährt man fort, bis man alle Ladungen abgeschossen hat."

Obgleich die Beschreibung der Befestigung der Flinte an der Trommel hier nur mit kurzen Worten angedeutet ist, so entdeckt man doch die Anwendung des Princips, nach welchem unsere Pistole construirt ist.

Der Revolver Haaken-Plondeur gehört übrigens in die Kategorie der niedlichen Gewehre, welche zwar das Auge täuschen, aber nicht im Stande sind, die Dienste zu leisten, welche sie versprechen. Vor fünf oder sechs Jahren wäre diese Pistole ein Wunderwerk gewesen und hätte Aufsehen erregt, aber jetzt, wo wir die Pistolen der Herren Adams und Deane, Comblain und Mangeot kennen, ist sie nicht mehr genügend.

Der Revolver Loron, mit ununterbrochener Drehung und einer Knallpulverladung.

So hätten wir denn einen neuen Revolver und, was noch mehr ist, eine Ladung mit Knallpulver, weßhalb wir den Gegenstand in nähere Betrachtung ziehen müssen.

Zuvörderst bitten wir den Leser um Erlaubniß, einige Details über die Arbeiten zu geben; durch welche die Practiker dahin gelangt sind, das Knallpulver zur Verfertigung der Zündhütchen anzuwenden; dann wollen wir ihm einige Anecdoten mittheilen, um ihn für die Trockenheit des Gegenstandes einigermaßen zu entschädigen.

In seinem Traité du fusil de chässe (p. 162 und folgende) drückt sich Herr Mangeot in dem Capitel, welches von den Knallpulvern zu den Zünd= hütchen handelt, in folgender Weise aus:

„Da die Entdeckung der Knallpulver und ihre Anwendung bei den Schießgewehren die Vervoll= kommmnung der Flinte um einen großen Schritt wei= ter gebracht hat, so wollen wir einige Details über die Geschichte und die Manipulationen der Zünd= hütchen mittheilen.

„Erst durch die Forschungen der Wissenschaft ist man dahin gelangt, die explodirende Eigenschaft zu erkennen, welche die Metalloxyde besitzen und wir müssen frei bekennen, daß die Forschungen jener be= harrlichen Alchymisten, welche ihr Leben geneigt über ihren Oefen hinbrachten, um den flüchtigen Augen= blick zu ergreifen, wo, wie sie wenigstens glaubten, die Umwandlung der Metalle in Gold erfolgen sollte, sehr viel dazu beigetragen haben, die Summe der menschlichen Kenntnisse zu vermehren, indem sie uns in die Geheimnisse der Experimental=Metallurgie ein= weihten.

Schon im Jahre 1699 entdeckte Boulduc die Zusammensetzung eines Knallpulvers.

„Die Abhandlungen der französischen Academie von den Jahren 1712, 1713 und 1714 enthalten die Versuche von Lemery über diesen Gegenstand.

„Im Jahre 1774 handelt Bayen denselben Gegenstand im Februarhefte des Journal de Physi= que ab.

Bis im Jahre 1788 blieben die nähern Um= stände in Betreff der Knallpulver im Unklaren und in der Unbestimmtheit, welche gewöhnlich neue Er= findungen begleiten; aber um diese Zeit stellte Ber= thollet auf eine positive Weise die Eigenschaften des Knallsilbers fest (eines Silberoxydes, welches er

mit Kaltwaſſer fällte) und beſtimmte die Art und
die Quantität der Subſtanzen, welche zu dieſer Zu=
ſammenſetzung genommen werden mußten, wie auch
die Zubereitungsart, um dieſes Knallſilber zu erlangen.

„Die Anwendung einer ſo merkwürdigen Ent=
deckung ließ nicht lange auf ſich warten. Zuerſt
wurde es zu pyrotechniſchen Präparaten und dann
zu einigen Verſuchen benutzt, die man mit den
Schießgewehren vornahm; aber ſeine außerordentliche
Verflüchtigung, die immer mit einer ſchrecklichen Ex=
ploſion verbunden zu ſein pflegt, wird herbeigeführt
durch einen ſchwachen Stoß, oder ſelbſt durch die ge=
ringſte plötzliche Steigerung der Temperatur, weßhalb
man es ſeiner frühern Beſtimmung, nämlich der
Feuerwerkerkunſt, wieder zurückgab.

„Auf das Silberoxyd folgte das ſalzſaure über=
oxydirte Kali, ſonſt auch bekannt unter dem Namen
des chlorſauren Kali's. Das Knallpulver nun, dem
das chlorſaure Kali zur Grundlage dient, wird auf
folgende Weiſe dargeſtellt:

„Sobald das chlorſaure Salz nach den Vor=
ſchriften behandelt worden iſt, die man in allen Wer=
ken der angewandten Chemie findet, verbindet man
es mit Schwefel und Kohle in den folgenden Ver=
hältniſſen:

chlorſaures Kali . . 5¼ Theil,
Schwefelblumen . . 2¼ ⸗
geſtoßene Kohle . . 1¼ ⸗

„Dieſe Zuſammenſetzung, welche man gegenwär=
tig wieder aufgegeben hat, führte eine ähnliche her=
bei, die auch nur einige Zeit in Gebrauch blieb, und
dieſe wurde anfangs zur Verfertigung der Zündhüt=
chen benutzt:

ſalpeterſaures Kali . . 3 Theile,
baſiſch-kohlenſaures Kali 2 ⸗
Schwefel . . . . . 1 ⸗

„Nachdem man einmal sich mit Knallpulvern
beschäftigte, so fanden die Chemiker bald neue auf,
und man gelangte successiv zu nachfolgenden Verbin=
dungen: hydrochlorsaures Kali vermischt mit einem
brennbaren Körper; — chlorsaures Silber mit Schwe=
fel; — Jod verbunden mit Stickstoff; — jodsaures
Kali mit Schwefel. Sodann verfiel man auf die
Verbindungen des Ammoniaks mit Platin= und Queck=
silberoxyd, auf das Ammoniakgold zc.

„Endlich bewirkte Howard die Fabrication der
Zündhütchen mittelst seines Amalgames, bekannt un=
ter dem Namen des Howard'schen Quecksilbers,
was weiter nichts ist, als salpetersaures Quecksilber=
oxydul verbunden mit Alkohol, in folgender Weise:

rohes und reines Quecksilber   1 Theil,

Alkohol von 30° . . . 10 =

Salpetersäure von 40° . 6 =

„Das Howard'sche Quecksilber besitzt in sehr
hohem Grade die explodirende Eigenschaft, so daß,
wenn man es zu Zündhütchen verwendet, man seine
Wirkungen durch Zusatz einer gewissen Quantität
von ordinärem Schießpulver schwächen muß. Das
Verhältniß dieser Mischung zur Grundlage ist wie
1 zu 2, d. h. auf 100 Grammen salpetersaures
Quecksilberoxydul muß man 50 Grammen Schieß=
pulver zusetzen."

Beiläufig wollen wir einige kleine Irrthümer
berichtigen, welche der Verfasser des Traité sur le
fusil de chasse sich hat zu Schulden kommen lassen:
„Im Jahr 1786 wurden zu Essonne die ersten Versuche
mit Zündhütchen gemacht (S. 46); dagegen finden wir
S. 162: „Bis zum Jahr 1788 blieb Alles, was sich
auf die Knallpulver bezog, im Unklaren und in der
Unbestimmtheit, welche gewöhnlich neue Erfindungen
begleiten; aber um diese Zeit stellte Berthollet
auf eine positive Weise die Eigenschaften des Knall=

silbers fest ꝛc.," Offenbar ist das Datum 1786 falsch, und es herrscht ein Irrthum hinsichtlich des Knall= pulvers, von welchem in dieser Stelle die Rede ist. Nicht im Jahr 1786, sondern im Jahr 1788 fanden die Versuche zu Essonne Statt; außerdem hatten diese Versuche eigentlich zum Zweck, wie wir sogleich sehen werden, zur Fabrication eines Kriegspulvers durch ein einfacheres und wohlfeileres Verfahren zu gelan= gen, und sie wurden angestellt mit der Salzsäure und nicht mit Knallsilber. Herr Mangeot ist wahr= scheinlich durch eine Stelle des Berichtes über die Ausstellung der schönen Künste in Belgien im Jahre 1839 des Herrn Jobard zu dem Irrthume veranlaßt worden. Diese Stelle lautet nämlich:

„1786. — Versuche mit salzsaurem Pulver zu Essonne angestellt; erste Zündhütchen.

„1788. — Entdeckung des Knallquecksilbers durch Fourcroy und Bauquelin."

Herr Jobard hat hier schwere Irrthümer in wenigen Zeilen begangen.

1) Die Versuche mit salzsaurem Pulver wurden erst 1788 zu Essonne vorgenommen; wir werden so= gleich den Beweis dazu liefern.

2) Das salzsaure Pulver wurde nicht schon im Jahr 1788 zur Verfertigung von Zündhütchen mit Knallpulver verwendet und zwar, weil diese Zünd= hütchen nicht bei der Muskete hätte angewendet wer= den können, bevor der Mechanismus dieser Waffe hierzu verändert worden wäre; und sodann weil man nicht annehmen kann, daß man eine Composition, deren heftige Wirkung beträchtliche Störungen bei'm Schießen mit Feuergewehren hervorgebracht haben würde, zu Zündlunten hätte benutzen wollen.

Es ist zweckmäßig hier zu bemerken, daß, wenn man schon im Jahr 1788 daran gedacht hätte, die Knallpulver als Zündkraut zu benutzen, warum hätte

man dann nicht zuerst das Knallquecksilber angewen=
det, welches, wenn auch nicht entdeckt, doch wenig=
stens von Bayen schon lange vorher analysirt wor=
den war? Dieser Chemiker war Oberpharmaceut der
Armeen bei der Einnahme von Port=Mahon im
Jahr 1756. Während der Belagerung dieses Platzes
fehlte es an Zündlunten, weil man zur Darstellung
derselben keinen Salpeter besaß, und es gelang ihm,
den Salpeter aus dem Schießpulver auszuziehen und
dadurch dem obigen Mangel abzuhelfen. Später,
im Jahr 1774, sandte er der Academie seine Abhand=
lung über das Knallquecksilber; nichtsdestoweniger
muß man seine Arbeiten über diesen Gegenstand auf's
Jahr 1766 zurückversetzen, weil die wichtigen Func=
tionen, mit denen er während einer langen Kriegs=
zeit beauftragt war, ihm nicht gestatteten, seine Mit=
theilungen der Academie der Wissenschaften früher zu
überreichen. Nun fragen wir von Neuem den Leser:
wenn man den Gedanken gehabt hätte, die Knall=
pulver zur Verfertigung von Zündern selbst für die
Kanonen zu verwenden, hätte Bayen alsdann nicht
eine schöne Gelegenheit gehabt, sein Quecksilberprä=
parat in Vorschlag zu bringen?

3) Der Ruhm, die Zusammensetzung des Knall=
quecksilbers bekannt gemacht zu haben, ist gänzlich
Herrn Bayen und nicht den Herren Fourcroy und
Bauquelin zuzuschreiben. Alles, was diese Herren
Wichtiges in dieser Beziehung haben thun können,
besteht darin, daß sie das knallsaure Quecksilber in
die neue chemische Nomenclatur aufgenommen haben;
wenn sie es modificirt haben, so ist dieses nur un=
vollkommen geschehen, weil Howard zwanzig Jahre
später genöthigt war, ihre Arbeiten nochmals vorzu=
nehmen.

Es bleibt uns demnach nur noch zu beweisen
übrig, daß die Versuche, welche 1788 zu Essonne

9*

von Berthollet gemacht worden sind, den Zweck hatten, auf eine positive Weise die Eigenschaften des chlorsauren Kali's und nicht diejenigen des Knallsilbers (des durch Kalkwasser gefällten Silberoxyds) festzustellen, wie die Stelle, welche wir aus dem Buche des Herrn Mangeot citirt haben, zu verstehen giebt.

Die Explosionsfähigkeit der metallischen Pulver (des Goldes, des Silbers, des Quecksilbers rc.) war den sorgfältigen Beobachtungen der Alchymisten nicht entgangen. So viel weiß man nämlich ganz sicher. Aber es ist auch bekannt, daß die Zeloten des großen Werkes ihre Entdeckungen gar nicht bekannt werden zu lassen wünschten. Die Arbeiten von Boulduc im Jahr 1799 und diejenigen von Lemery von 1712 — 1714 verbreiteten allerdings einiges Licht über dieses geheimnißvolle Studium; indessen beschäftigte sich erst nach den genauen Bekanntmachungen Bayen's 1774 und Berthollet's 1788 die Wissenschaft und die Industrie ernsthaft und offen damit. Wir haben schon erzählt, was sich auf die Entdeckung des knallsauren Quecksilbers von Bayen bezieht, und was nun die Entdeckung Berthollet's hinsichtlich des Knallpulvers anlangt, welches er mit überoxydirter Salzsäure darstellte, wollen wir den Dr. Figuier, einen geistreichen Schriftsteller, hier sprechen lassen.

Dupré *), in der Umgegend von Grenoble geboren, war Goldschmied zu Paris. Als er unächte Diamanten darstellen wollte, soll er zufällig eine entzündliche Flüssigkeit von erstaunlicher Wirksamkeit

---

*) Dupré ist der Mann, den wir zu Anfang dieses Werkchens als Ingenieur aufgeführt haben, indem wir damals noch nicht wußten, daß er uns zu ausführlichen Details Veranlassung geben würde.

entdeckt haben. Chalvet, welcher diese Thatsache
in seiner Bibliothek des Dauphiné erzählt, versichert,
daß diese Flüssigkeit Alles verzehrt habe, was sie be-
rührte, daß sie im Wasser brannte und, mit einem
Worte,- alle Wirkungen hatte, die man sonst dem
griechischen Feuer zuschrieb. Dupré setzte Ludwig XV. von seiner Entdeckung in Kenntniß und
auf den Befehl desselben machte er einige Versuche
auf dem Canale zu Versailles und im Hofe des Ar-
senales zu Paris. Dieses geschah 1755, und man
war damals in einer Spannung mit den Englän-
dern, welche dem siebenjährigen Kriege vorausging
und den Verlust der französischen Flotte herbeiführte.
Dupré wurde in verschiedene Seehäfen geschickt, um
die ·Wirkung seiner zündenden Flüssigkeit an Schiffen
zu versuchen. Diese Wirkungen waren so schrecklich,
daß selbst die Matrosen darüber in Staunen geriethen. Indessen gab Ludwig XV. einem edlen Ge-
fühle von Menschlichkeit nach und glaubte die Vortheile, welche ihm diese Erfindung versprach, ungeachtet der Bedrängnisse des Krieges, von der Hand
weisen zu müssen. Er verbot Herrn Dupré, seine
Erfindung bekannt zu machen, und um sich seines
Schweigens zu versichern, verlieh er ihm eine ansehnliche Pension und die Decoration des St. Mi-
chaelordens. Dupré ist gestorben, ohne sein Geheimniß verrathen zu haben; aber Chalvet erzählt eine
unnütze Grausamkeit, wenn er behauptet, daß die
öffentliche Meinung Ludwig XV. anklage, seinen
Tod beschleunigt zu haben.

Nach Herrn Coste soll ein Feuerwerker, Namens Torré, unter dem Ministerium des Herzogs
von Aiguillon 1771, ein ähnliches Geheimniß,
wie Dupré, entdeckt haben. „Das Geheimniß des
griechischen Feuers, sagt Herr Coste, ist in Frankreich unter dem Ministerinm des Herzogs von Ai-

guillon durch einen Feuerwerker aufgefunden worden, der es sicherlich nicht suchte und zu Havre Com-
positionssteine zu fertigen bemüht war. Mein Zeug-
niß ist in diesem Betreff unwiderleglich, denn ich
habe die Abhandlung an das Ministerium verfaßt,
durch welche der ehrliche Künstler den König von
seiner traurigen Entdeckung in Kenntniß setzte, seine
Befehle verlangte und sich erbot, in einer hölzernen
Röhre, welche ein einziger Mann tragen könnte, 700
Pfeile, mit seiner Composition gefüllt, einzuschließen,
die sich entzünden, explodiren und während des Nie-
derfallens das Feuer verbreiten würden. Dieser Apparat und die hölzerne Kanone, welche das griechi-
sche Feuer auf 800 Toisen weit tragen sollte, war
von der Erfindung des Herrn Torré." Diese Idee
ist indessen nicht zur Ausführung gekommen und der
Name des Herrn Torré ist immer unbekannt ge-
blieben.

„Ganz anders verhielt sich's mit der Erfindung
des Mechanikers Chevallier, welcher das tragische
Ende ihres Urhebers einige Zeit lang die öffentliche
Aufmerksamkeit zuwendete.

„Chevallier, Ingenieur und Mechaniker zu
Paris, hatte Brandraketen verfertigt, welche im Wasser
brannten, und deren Wirkung, wie man versichert,
ebenso zuverlässig, als schrecklich war. Die pyrotech-
nischen Versuche, welche den 30. November 1797 zu
Meudon, bei Vincennes, in Gegenwart mehrer hoher
Offiziere der Marine angestellt und zu Brest den 20.
März darauf wiederholt wurden, zeigten, daß diese
Raketen, die einige Aehnlichkeit mit den Congreve-
schen Raketen hatten, einen Theil der Wirkungen
hervorbrachten, welche man gewöhnlich dem griechischen Feuer zuschreibt.

„Chevallier beschäftigte sich damit, seine
Compositionen zu Brandraketen zu vervollkommnen,

als er das Opfer eines politischen Mißverständnisses wurde. Schon seit Anfang der Revolution hatte er sich durch die Ueberspannung seiner republikanischen Ideen bemerklich gemacht; im Jahre 1795 war er festgenommen worden als Agent eines jacobinischen Complottes und wurde dann in Folge der Amnestie im Jahre IV in Freiheit gesetzt. Als er 1800 der argwöhnischen Polizei der damaligen Zeit angezeigt wurde, als beschäftige er sich auf eine verdächtige Weise mit Brandraketen und ähnlichen Feuerwerker= arbeiten, so wurde er unter dem Verdacht, als habe er das Leben des ersten Consuls gefährden wollen, in's Gefängniß geworfen. Diese Sache konnte keine ernste Folge haben, und Chevallier hatte eben die Aussicht, das Gefängniß zu verlassen, als sich, in Folge eines unglücklichen Zusammentreffens, die Explosion der Höllenmaschine ereignete. Chevallier stand offenbar in keiner Beziehung mit den Urhebern dieses schrecklichen Complottes, wurde indessen doch einige Tage nachher vor ein Kriegsgericht gestellt, zum Tode verurtheilt und noch denselben Tag zu Vincennes erschossen.

„Die Versuche, welche Berthollet im Jahre 1788 anstellte, um den Salpeter des französischen Kanonenpulvers durch das chlorsaure Kali zu ersetzen, haben einen sehr ernsten wissenschaftlichen Character und sind bekannter, als die vorhergehenden Fälle.

„Als Berthollet die oxygenirten Verbindun= gen des Chlors studirte, hatte er die chlorsauren Salze entdeckt, welche durch ihre chemischen Eigen= schaften äußerst merkwürdig sind. Die chlorsauren Salze sind nämlich Zusammensetzungen, welche au= ßerordentlich leicht zersetzt werden können, und da sie eine sehr große Quantität Sauerstoff enthalten, so macht diese rasche Zersetzung aus dieser Classe von Salzen die wirksamsten Verbrennungsagentien, wel=

che man in der Chemie nur besitzt. Das chlorsaure Kali mit Schwefel, Kohle oder Phosphor gemengt, liefert einen so brennbaren Körper, daß schon ein Hammerschlag ausreichend ist, um ihn explodiren zu lassen. Wenn man in einen Mörser aus Bronce rasch eine Mischung von chlorsaurem Kali, Schwefel und Kohle reibt, so entstehen auch successive Detonationen, welche den Knall der Peitsche nachahmen, und aus dem Mörser erheben sich rothe oder purpurrothe Flammen.

„Nachdem Berthollet diese Thatsachen beobachtet hatte, kam er auf den Gedanken, das chlorsaure Kali dem Salpeter im französischen Kanonenpulver zu substituiren. Die Versuche, welche er für diesen Zweck unternahm, führten dem Anscheine nach die günstigsten Resultate herbei: ein inniges Gemenge von Schwefel, Kohle und chlorsaurem Kali, in den gewöhnlichen Verhältnissen des Schießpulvers, bot eine Explosionskraft dar von solcher Mächtigkeit, daß sie in diesem Betreff das gewöhnliche Schießpulver übertraf, indem sie die Geschosse dreimal weiter trieb. Ermuntert durch diese Thatsache, suchte Berthollet bei der Regierung die Autorisation nach, eine große Quantität des neuen Pulvers darstellen zu lassen, um zu ausgebreiteteren Versuchen zu dienen. Die Pulverfabrik von Essonne wurde zu seiner Verfügung gestellt, aber die Unternehmung hatte ein sehr trauriges Ende und kostete mehren Personen das Leben. Nachstehende sind einige nähere Umstände über dieses unglückliche Ereigniß.

„Herr Letort, der Director der Pulverfabrik zu Essonne, war voller Vertrauen in den Erfolg der Versuche Berthollet's, sowie hinsichtlich der Zukunft des neuen Pulvers; er versicherte, daß mit der Handhabung desselben keine Gefahr verbunden sei, und daß es sich in allen Puncten wie das Salpeter-

schießpulver verhalte. An dem Tage, wo die Fabrication beginnen sollte, lud er Herrn Berthollet
zum Mittagsmahle ein, und nach Tische begab man
sich in die Werkstätten. Die Mengung wurde wie
gewöhnlich bewerkstelligt, nämlich in Mörsern mit
hölzernen Läufern und unter Anwendung von Wasser, um die Entwickelung von Wärme durch das
Reiben zu vermeiden. Herr Letort behauptete, daß
der Zusatz von Wasser überflüssig sei und daß man
die Mischung eben so gut trocken hätte machen können. Um den Beweis zu liefern, näherte er sich einem der Mörser, und mit dem Ende seines Rohres
begann er ein kleines Pulverklümpchen zu zerreiben,
welches am Rande des Mörsers ausgetrocknet war.
Sogleich ließ sich eine fürchterliche Explosion vernehmen, das Haus stürzte zur Hälfte ein, und man zog
unter den Trümmern den Leichnam des Directors,
den seiner Tochter und noch vier andere Arbeiter
leblos hervor; Berthollet war wie durch ein
Wunder erhalten worden.

„Indessen legte man zu vielen Werth auf die
Anwendung des Pulvers von chlorsaurem Kali, so
daß dieses schreckliche Ereigniß nicht alle seine Früchte
trug. Vier Jahre nachher ließ die Regierung neue
Versuche anstellen. Während der Kriege der Republik
gab man nur ungern die Hoffnung auf, ein Mittel
von so wunderbarer Kraft zu besitzen. Die für solche Fälle angegebenen Vorsichtsmaßregeln wurden
vervielfältigt; aber Alles war vergebens, eine neue
Explosion sprengte die Fabrik in die Luft und töd-
tete drei Arbeiter. Seit dieser Zeit hat man nicht
mehr daran gedacht, auf diese unglücklichen Versuche
wieder zurückzukommen. Uebrigens weiß man gegenwärtig, daß das Pulver von chlorsaurem Kali nur
Gefahr und keinen Vortheil bringt. Es explodirt so
leicht, daß schon die Bewegung eines Wagens dieses

Ereigniß herbeiführen kann. Alle Substanzen, wel=
che, wie das chlorsaure Kali durch einen bloßen
Schlag explodiren, geben in der That Sprengpulver,
dessen heftige und augenblickliche Wirkung fast im=
mer die Waffen zertrümmert, indem sie zugleich gegen
das Geschoß und gegen die inneren Wandungen des
Laufes gerichtet ist."

Wir müssen indessen in Betreff der Knallpulver,
welche durch den bloßen Schlag explodiren, der Mei=
nung des Dr. Figuier widersprechen. Wir haben
selbst ein gewisses picrinsaures Salz versucht, welches
keineswegs eine zertrümmernde Wirkung hatte. Nach
wohl 100 Schüssen, die wir während 1½ Stunden
aus einer Doppelflinte abfeuerten, welche mit Pulver
von picrinsaurem Salz geladen war, befanden sich
die Läufe in noch so gutem Zustande, wie vorher.

Wir erlauben uns noch einige Details zu dem
von Dr. Figuier Mitgetheilten über die Versuche
des Herrn Berthollet hinzuzufügen:

Die merkwürdigen Arbeiten dieses Chemikers
über die Salpeter=, Schwefel= und Kohlensäure hat=
ten ihm schon einen ehrenvollen Platz unter den
damaligen Gelehrten angewiesen, als er im Jahre
1784 die Stelle Macquer's als Director der Go=
belins=Manufactur bekam. Kurze Zeit, nachdem ihm
diese wichtigen Functionen übertragen worden waren,
entdeckte er die Eigenschaft des Chlors, das Bleichen
der Wolle zu bewirken. Nun ereignete es sich, als
er das Chlor auf verschiedene Weise behandelte, daß
er ein Product auffand, in welchem weit mehr Sauer=
stoff, als im Chlor vorhanden war. Er nannte die=
ses neue Product überoxygenirte Salzsäure,
und wir nennen sie gegenwärtig Chlorsäure, welche,
wie allgemein bekannt, bei dem geringsten Schlage
explodirt, sobald sie mit brennbaren Salzen ver=
mischt ist. Ungeachtet der mißlungenen Versuche zu

Essonne und ungeachtet der Gefahren, mit denen sie verbunden waren, ließ sich indessen Berthollet davon nicht abbringen und setzte seine Forschungen über die entzündbaren Substanzen fort, durch welche er im Jahre 1788 das Knallsilber entdeckte.

Wir müssen hier unsere Verwunderung ausdrücken, daß der Dr. Figuier, der so manchmal den Beweis seiner Unabhängigkeit, seiner Freimüthigkeit und seines Muthes dadurch geliefert hat, daß er die Priorität einer Erfindung demjenigen zuerkannte, der dazu das Recht hatte, nicht diese Gelegenheit, während er einmal das Capitel des Knallpulvers abhandelte, ergriffen hat, um einem Manne Gerechtigkeit widerfahren zu lassen, der gegenwärtig beinahe unbekannt ist, und dem Frankreich zum Theil den Ruhm verdankt, den es in den Wissenschaften erlangt hat. Dieser Mann ist nämlich der Chemiker Rouelle. Derselbe hat nämlich dazu beigetragen, um die Chemie einen großen Schritt weiter zu bringen. Außerdem war er der Lehrer vieler ausgezeichneter Männer, unter andern eines Darcet, Chamousset, Bayen, Cadet-Gassicourt, Parmentier, Berthollet, Lavoisier und aller Derer, welche diesen vorausgegangen sind, und zu denen unter Anderen Guyton de Morveau, Fourcroy, Vauquelin, Gay-Lussac und Thenard gehörten.

Rouelle ist, nach dem berühmten Baron von Grimm, als der Gründer der Chemie in Frankreich zu betrachten, und dennoch wird sein Name untergehen, weil er niemals Etwas geschrieben hat und weil diejenigen, welche zu seiner Zeit werthvolle Werke über diese Wissenschaft geschrieben haben und aus seiner Schule hervorgegangen sind, ihrem Lehrer niemals die Ehre angethan haben, die ihm gebührte.

Im Jahre 1750, zu Anfang jenes unglücklichen Krieges, in welchem Frankreich seine schönsten Be-

fisungen in Indien an England verlor, bot sich
Rouelle an, eine Escadre von Flachbooten anzu=
führen, die englischen Flotten und die Stadt Lon=
don in Brand zu stecken. Sein Anerbieten wurde
indessen nicht angenommen. Erst 5 Jahre später
trat Dupré auf mit einem ähnlichen Anerbieten,
und man kaufte ihm sein Geheimniß mit einem Or=
den und einer Pension von 30,000 Livres ab.

Ungeachtet der beständigen Forschungen der Py=
rotechnik und der Chemie, sind wir indessen noch
nicht wieder dahin gelangt, wo sich vor 110 Jahren
Rouelle, vor 100 Jahren Dupré, vor 83 Jahren
Torré und vor 57 Jahren Chevallier befunden
haben, weil das Geheimniß von Präparaten, welche
die Eigenschaft besitzen, im Wasser zu brennen, noch
nicht wieder aufgefunden worden ist *).

Nachdem aber nun die chemischen Reactionen
so weit ausgemittelt worden waren, daß man mit
einer hinlänglichen Genauigkeit den Grad der Ex=
plosionskraft gewisser Knallpräparate mit metallischer
oder salziger Base bestimmen konnte, so bemächtigte
sich die Büchsenmacherzunft der erlangten Resultate,
benutzte dieselben und nahm mit ihnen in der Folge
wesentliche Veränderungen vor.

Der berühmte Büchsenmacher Lepage, den Na=
poleon so hoch schätzte, veränderte z. B. im Jahre
1810 den Mechanismus der tragbaren Schießwaffen,
um die Knallpulver bei ihnen in Anwendung brin=
gen zu können. Nachdem er das Zündhütchen ersonn=
nen hatte, mußte er noch statt des Hahnes den
Hammer erfinden. Er beseitigte zuerst die Pfanne

---

*) Die Verbindungen des Silberoxyds mit dem Ammoniak
und eines Silbersalzes mit Ammoniak und Kali, wozu Ber=
thollet 1788 das Recept gab, explodiren zwar in Wasser,
aber löschen sogleich wieder aus.

und erſetzte ſie durch eine Einrichtung, aus welcher
ſpäter der Zündkegel wurde; dann geſtaltete er den
Hahn um und veränderte hierauf das Innere der
Batterie.

Andere Erfinder betraten auch bald den von
Lepage eingeſchlagenen Weg; ein ſo ſchöner Wetteifer brachte ſeine Früchte; endlich war man einige
Jahre ſpäter durch das Queckſilberpräparat Howard's dahin gelangt, daß man es für unmöglich
hielt, noch eine wichtige Veränderung, entweder an
der Behandlung der Knallpulver, oder an der com-
binirten Wirkung der Theile des Schloſſes, oder an
der Art des Ladens der Waffe ſelbſt anzubringen,
als mehre Entdeckungen Schlag für Schlag dieſen
irrigen Glauben mächtig widerlegten: der Fortſchritt
geſtattet keinen langen Stillſtand!

Im Jahre 1820 wandelte Deboubert das
urſprüngliche Zündhütchen um und geſtaltete es ſo,
wie wir es noch gegenwärtig kennen.

Im Jahre 1825 erfand Cooker eine Flinte,
in welcher eine Spiralfeder in der Achſenrichtung des
Laufes einen Hammer gegen das Zündhütchen trieb,
welches am hintern Theile der Schwanzſchraube ſaß.
Dieſes iſt das Percuſſionsſyſtem, welches ſeit der
Zeit der Ausgangspunct der Waffen geweſen iſt, bei
welchen die Entzündung mittelſt einer Nadel oder
einer beweglichen Spindel hervorgerufen wird.

Vermöge einer Anſicht, welche geiſtvollen Män-
nern eigenthümlich iſt, wagte Herr Delvigne ſich
direct an denjenigen Theil der Waffe, welcher in den
Augen des gemeinen Mannes keiner Modification
fähig zu ſein ſchien. Aber kaum hatte er die Idee
gehabt, die Bohrung der Läufe zu verändern, als
er auch auf diejenige kam, die Geſtalt der Geſchoſſe
zu verändern. Aufgeklärt durch eine lange Reihe von
Verſuchen, ſtellte er nun die fruchtbaren Grundſätze

auf, die aus der Herstellung einer Ausladung über
der Pulverkammer und einer Aushöhlung am hinteren Theile der Spitzkugel hervorgehen.

In Folge mehrer aufeinanderfolgender Bekanntmachungen des Herrn Delvigne, begaben sich die
Herren Poncharra, Thierry, Thouvenin,
Heurteloup und Tamisier an's Werk, ohne übrigens Resultate von ausgezeichnetem Werthe zu erlangen, ausgenommen vielleicht die beiden Letzteren.
Sodann kommen die Herren Minié und Vieillard, welche geschickt die kostbaren Grundlagen zu
benutzen verstanden, die Delvigne an den Tag ge-
fördert hatte, und an der Kugel den metallischen
Spiegel, an der Flinte die Progressivzüge anbrachten,
sie mit dem verschiebbaren und beweglichen Visir
ausstatteten und endlich den Carabiner von furcht-
barer Wirkung herstellten, wie wir ihn kennen. Aber
um gerecht gegen Herrn Minié zu sein, wollen wir
noch hinzufügen, daß ihm allein die Idee des eisernen Spiegels angehört.

Man befand sich damals noch unter dem ersten
Eindrucke der herrlichen Resultate, die man durch
die Hauptangaben des Herrn Delvigne erlangt
hatte, als im Jahre 1832 ein Chemiker in Nancy,
Herr Braconnot, als er das Stärkemehl mit
concentrirter Salpetersäure behandelte, ein pulveriges
und brennbares Product entdeckte, welches er Xy-
loidin nannte. Diese Entdeckung ging fast unbe-
merkt vorüber.

Im Jahre 1838 nahm Herr Pelouze die Arbeiten des Chemikers von Nancy wieder vor und
entdeckte, daß das Papier, die Baumwolle, der Flachs,
verschiedene Gewebe, wie auch eine Menge anderer
Substanzen die explodirenden Eigenschaften besitzen,
welche Braconnot dem Stärkemehl zuschreibt.
Indessen kam er eben so wenig, als sein Vor-

gänger auf den Gedanken, diese Probucte zum Laden der Schießgewehre anzuwenden. Diese glückliche
Idee hatte erst Herr Schönbein, Professor zu Ba-
sel, im Jahre 1846, und man wird sich noch erin-
nern, welches Erstaunen diese Anwendung bei'm
Publicum erregte.

Aus Versuchen vieler Sachverständiger ging indessen hervor, daß die Schießbaumwolle nicht ohne
große Gefahr das gewöhnliche Schießpulver ersetzen
könne, bis endlich ein Techniker in Oesterreich alle
Schwierigkeiten beseitigte, und die österreichische Regierung Herrn Professor Schönbein für seine Entdeckung 30,000 Gulden zahlte, auch diese Erfindung,
wie man vernimmt, bald im Großen anzuwenden
gedenkt.

In der neuern Zeit soll ein gewisser Herr
Blanche zu Puteaux bei Paris eine Composition
erfunden haben, welche die Fähigkeit besitzt, langsam im Wasser zu brennen. Bei dieser Gelegenheit
kehren wir einen Augenblick zu unserem Gegenstande
zurück und stellen die Priorität einer Entdeckung fest,
welche der Entdecker aus übertriebenem Zartgefühle
hat in Vergessenheit gerathen lassen.

Herr Montigny, ein belgischer Büchsenmacher
und aus Fontaine-l'Eveque bei Charleroi gebürtig,
hatte gegen das Ende des Jahres 1831 eine Flinte
mit beweglicher Schwanzschraube und mit eindrin-
gender Nadel erfunden, ein System, welches gegenwärtig sehr gebräuchlich ist, und verwendete zum
Schießen mit dieser Waffe eine besondere Patrone,
ebenfalls von seiner Erfindung.

Ein cartonnirtes Papier bildete die Hülle der
Patrone; das Wurfgeschoß saß auf einem Spiegel,
aus Holz gefertigt, und einen cylindrischen Stab,
ebenfalls aus Holz, enthaltend, dessen Ende fast bis
zur Höhe der Patrone reichte. Am hintern Ende

des Stabes hatte man eine Aushöhlung angebracht,
in welcher ein Zündhütchen mit Knallpulver saß.
Der Raum zwischen der Hülle und dem Stabe war
von der Hinterseite des Spiegels an bis zur Höhe
des Zündhütchens mit Schießpulver angefüllt. Nachdem die Patrone geladen war, legte man ein sehr
dünnes Scheibchen von Papier auf die Ladung und
schloß die Hülle. Nachdem die Patrone in den Lauf
gebracht war, drang die erwähnte Nadel durch die
Papierscheibe, entzündete das Zündhütchen und bewirkte die Verbrennung des Schießpulvers. Diese
Patrone war, wie man finden wird, sehr sinnreich
ausgedacht; auch unterschied sie sich nur sehr wenig
von derjenigen, die man jetzt bei dem verbesserten
Systeme Montigny's anwendet.

Die Versuche des Herrn Delvigne über die
längliche Kugel, die schon im Jahre 1826 begannen,
hatten die Herstellung der Haubitzenkugeln herbeigeführt, deren man sich bei der Expedition von Algier
bediente. Aber obgleich Delvigne schon daran gedacht hatte, in den Kugeln einen Raum auszuspa-
ren für ein Präparat, durch welches sie gesprengt
werden können, so kam er doch erst im Jahr 1840
auf den Gedanken, eine Höhlung hinten an den
Spitzkugeln anzubringen, also 8 Jahre später, als
Herr Montigny diese Idee schon in Ausführung
gebracht hatte. Im Jahre 1842 machte Delvigne
zuerst die Bemerkung, daß die Ausdehnung der Gase
im hohlen Theil einer Kugel sehr viel dazu beitrage,
die Kugel stärker in die Züge des Laufes zu treiben;
aber wir wiederholen es, Herr Montigny hatte
schon die Idee gehabt, die Kugel auszuhöhlen und
diese Aushöhlung zu benutzen, um die Kugel in eine
Patrone zu verwandeln. Er verfuhr dabei auf folgende Weise:

Als er die Resultate rühmen hörte, welche Herr
Delvigne mit der massiven Spitzkugel erlangt
hatte, nahm er Stücken Blei, von denen nicht 16,
sondern 12 auf's Pfund gehen und goß sie in einer
Form, welche ganz diejenige der Patrone wieder gab.
Der Spiegel fiel dabei weg. Der hölzerne Stab
wurde durch einen bleiernen Zapfen ersetzt, welcher
mit der Kugel ein Ganzes bildete, und die Papier=
hülle wurde durch den Umfang der Kugel ersetzt, so
daß also der vordere Theil der Kugel die Gestalt
einer massiven Halbkugel besaß, während ihr hinterer
Theil ein hohler Cylinder wurde, welcher einen mas=
siven Cylinder, nämlich den bleiernen Zapfen, ent=
hielt. Man zog dann die Kugel durch einen Draht=
zug, wodurch man den Vortheil gewann, sie auf den
Durchmesser des Calibers der Munition zu bringen
und progressiv die Dicke des kreisförmigen Bandes
zu vermindern. Endlich erhielt das Ende des bleier=
nen Zapfens ein Zündhütchen, ebenso wie der höl=
zerne Stab im Papiere der Patrone; man füllte den
hohlen Raum der Kugel mit Schießpulver aus, man
bedeckte das Schießpulver und das Zündhütchen mit
einem bleiernen Scheibchen und legte auf demselben
die dünnen Ränder des Cylinders um, wodurch
man eine Kugelpatrone erhielt.

Indessen gab Montigny, aus Rücksicht der
Menschlichkeit, diese Kugelpatrone wieder auf, als er
die Bemerkung gemacht hatte, daß bei'm Schießen
mit derselben das ringförmige Band zerriß, während
es in den Körper eindrang, dabei große Verwüstun=
gen anrichtete und sehr schwierig aus der Wunde
wieder auszuziehen war.

Während der Versuche mit der Schießbaum=
wolle kam der Vicomte Dutillet auf den sonder=
baren Gedanken, einen Pistolenlauf hinten abzu=

schneiden und eine Kugel in die Seele dieses abge-
schnittenen Laufes einzusetzen, hinter dieselbe ein
Zündhütchen zu bringen und mit einem harten Körper gegen letzteres zu schlagen. Die Kugel wurde
dadurch eine Strecke weit aus dem Lauf getrieben.
Dieses ist der Ursprung jener Waffen, welche unter
dem Namen der Pistolen und der Carabiner des
Herrn Flobert oder auch unter dem Namen der
Salonpistolen bekannt sind. Herr Dutillet
hatte sich vergebens an verschiedene Pariser Büchsenmacher gewendet, und keiner derselben hatte sich geneigt gefunden, seine Idee auszuführen. Endlich
sprach er über diesen Gegenstand mit Herrn Flobert. Dieser Letztere führte seine Angaben aus und
stellte ein richtiges Verhältniß zwischen der Kraft des
explodirenden Mittels, dem Volumen der Kugel und
dem Caliber des Laufes her. Nachdem er nun auch
einen Mechanismus erfunden hatte, welcher sich für
die neue Combination eignete, fabricirte er Zündhütchen, welche ihre Kugeln enthielten. Auf diese
Weise war das Knallquecksilber gleich dem gewöhnlichen Schießpulver zur fortbewegenden Kraft geworden, während es früher bloß ein Hülfsmittel derselben gewesen war.

Nach diesen Entdeckungen verfiel der Büchsenmacher Herr Fusnot zu Brüssel, der damals Schießbaumwolle bei den Waffen nach dem System Montigny's anwendete, auf den Gedanken, diese Waffen
gegen die öligen und ätzenden Rückstände des Knallpulvers zu sichern, während er zugleich die Gefahr
ihrer zu starken Explosionskraft verminderte. Nachdem er für diesen Zweck die Aushöhlung der Kugel
von Delvigne verlängert hatte, füllte er sie mit
Schießbaumwolle und drückte letztere mittelst eines
aufgelegten Scheibchens und eines Hebels zusammen,
worauf er ein Zündhütchen aufsetzte. Diese Kugel-

patrone, welche durch die Verbindung von Schießbaumwolle und Knallpulver hergestellt worden war,
erinnert an die Kugelpatrone des Herrn Montigny.
Wenn dieselbe mit Stoffen guter Qualität bereitet
worden (was nicht immer der Fall ist), so bietet sie
große Vortheile aus dem doppelten Gesichtspuncte
der Schnelligkeit des Schießens und des bequemen
Transportes der Munition. Leider ist ihre Anwendung nur auf solche Waffen mit beweglicher Schwanzschraube beschränkt, bei welchen die Entzündung durch
eine sogenannte Zündnadel oder durch einen kleinen
Stift entsteht, der aus der Batterie hervortritt.

Herr Loron zu Versailles hat nun endlich ein
Knallpulver zusammengesetzt, welches das gewöhnliche
Schießpulver zum Laden hohler Geschosse ersetzen
und einen Revolver herstellen kann, in welchem sich
das geladene Geschoß benutzen läßt. Mit dieser Erfindung ist man nun nicht allein im Stande, in
einer Minute wenigstens 10 Pistolenschüsse zu laden
und abzuschießen, sondern auch in der Westentasche
die nöthige Munition für wenigstens 50 Schüsse
zu tragen. Herrn Loron verdanken wir übrigens
schon eine treffliche Flinte, die von der Schwanzschraube aus geladen wird; auch hat er ganz neuer-
dings mit vielem Erfolg das System Dutillet-
Flobert*) modificirt, so daß sein Name in kurzer

---

*) Die Veränderungen, welche Herr Loron an der Pistole
Flobert's angebracht hat, machen daraus eine Waffe, die
sich sehr sicher und leicht handhaben läßt. Am hinteren Ende
des Laufes befindet sich eine bewegliche Schwanzschraube mit
Charnier, welche sich öffnet, um ins Innere des Laufes ein
geladenes Geschoß einzubringen. Im Mittelpuncte der Schwanzschraube ist eine kleine Oeffnung angebracht, durch welche eine
Zündnadel oder ein Stift eintritt, welcher den Percussionshammer ersetzt. Das Uebrige erklärt sich von selbst.

10*

Zeit auch in den Salons ebenso bekannt werden wird, als unter den wirklichen Waffenliebhabern.

Die Erfindung des Herrn Loron läßt sich aus zwei verschiedenen Gesichtspuncten betrachten, die indessen in einer gewissen Correlation zueinander stehen und zwar einmal hinsichtlich des Knallpulvers und des Geschosses und dann auch hinsichtlich des Mechanismus der Waffe.

Bei der Kugel des Herrn Fusnot ist zwar die Schießbaumwolle die eigentliche Triebkraft und das knallsaure Quecksilber wirkt nur als Hülfsmittel; man braucht folglich weder den Lauf zu verstärken, noch sein Caliber zu vermindern. Bei Flobert's Pistole dagegen erzeugt das Knallquecksilber ganz allein die Triebkraft. Da nun dieses Knallpulver durch die Augenblicklichkeit seiner Verbrennung sehr leicht das Gewehr zertrümmert, so ist man genöthigt, bei diesem Systeme nur sehr dicke Läufe und von sehr kleinem Kaliber anzuwenden.

Um Geschosse von gewöhnlichem Kaliber und hinlänglicher Schwere anwenden und eine weite Tragkraft mit Läufen von mittler Stärke erhalten zu können, und zwar bei Anwendung von Knallpulver statt des gewöhnlichen Kriegspulvers, bedarf man eines Knallpulvers, dessen Wirkungen gemildert sind und welches eben deßwegen gestattet, die Pulverportion zu verstärken, ohne daß daraus eine üble Folge hervorgeht. Ein solches Knallpulver nun besitzt Herr Loron. Wir können indessen über die Zusammensetzung desselben uns hier nicht weiter auslassen, indem Herr Loron eben im Begriff ist, auf dieses Knallpulver ein Patent zu nehmen. So viel können wir indessen sagen, daß dieses Knallpulver den Lauf weniger verunreinigt, als das gewöhnliche Schießpulver, keinen Rückstoß giebt, fast ohne Knall explodirt, keinen üblen Geruch hat, kein schädliches Gas

ausgiebt, mit einer Flamme von weißlich rother
Farbe verbrennt, wie das gewöhnliche Schießpulver,
dabei langsam verbrennt, so daß es nicht nachtheilig
auf das Gewehr wirkt und das Geschoß dennoch
einen Impuls erfährt, der es auf eine beträchtliche
Entfernung forttreibt.

Herr Loron bereitet sein geladenes Geschoß nun
auf folgende Weise: An den hohlen Raum der Spitz=
kugel setzt er ein Zündhütchen von angemessener Ge=
räumigkeit, aber aus schwachem Kupfer, welches an
den Rändern eingeschnitten ist; er bewirkt, daß sich
das Zündhütchen an den Umfang des kreisförmigen
Bandes der Kugel genau anlege, und nachdem die=
ses auf eine vollkommene Weise bewerkstelligt wor=
den ist, gießt er eine knallsaure Flüssigkeit in das
Zündhütchen und läßt sie in demselben sich verdich=
ten. Dieses Verfahren ist weit einfacher, als dasje=
nige des Herrn Fusnot und auch besser, als das=
jenige des Herrn Flobert. Die Kugelpatrone des
Herrn Flobert explodirt nämlich in dem Falle,
wenn man sie auf einen harten Körper auffallen
läßt; außerdem trennt sich die Kugel häufig vom
Zündhütchen, welche Uebelstände bei dem Geschosse
des Herrn Loron in keiner Art vorkommen.

Wir wenden uns nun zum Mechanismus der
Waffe.

Dieser Revolver ist auf fünf Schüsse und für
ununterbrochene Drehung eingerichtet. Er unterschei=
det sich von denjenigen, die wir schon kennen gelernt
haben, nur durch einige mechanische Einzelheiten.

Der Lauf bietet nichts Besonderes dar.

Der Ladestock ist gekröpft, wie derjenige des
Herrn Colt, aber man findet sogleich, daß Loron
den Herrn Colt in der Mechanik übertrifft. Der
Kopf seines Ladestockes legt sich nämlich auf die Ge=
schosse, ungefähr wie eine Haube mit Klauen, so

daß man im Stande ist, die Kugeln mit viel Kraft in den Röhren des Drehcylinders niederzutreiben.

Die Achsenspindel ist so eingerichtet, daß das Abnehmen der Trommel äußerst leicht ist.

Der Hahn oder der Percussionshammer hat Aehnlichkeit mit demjenigen von Adams=Deane und wirkt auch auf ähnliche Weise.

Die Pistole wird gespannt und abgedrückt durch den Druck des Fingers auf den Abzug; indessen kann auch vermöge einer sehr zweckmäßigen Einrichtung der Hahn mit der Hand gespannt und in einer Ruhrast festgestellt werden, welche der Spannrast sehr nahe liegt, so daß man annehmen kann, diese Waffe besitze gleichzeitig unterbrochene und ununterbrochene Drehung.

Das Innere der Batterie ist von großer Einfachheit: zwei Stücke nämlich stützen einander, und wenn das eine niederwärts sich bewegt, so bewirkt das andere das Niederschlagen des Hammers.

Die Trommel besitzt die gewöhnliche Form, trägt aber weder Zündkegel, noch Flügel, noch Muscheln; an ihrer Stelle sind Vertiefungen angebracht, die in den Mittelpunct der Röhren einmünden. In jedem dieser Canäle liegt nun ein Stift oder Piston, der aus dem Innern der Kammer nach dem Aeußern des Cylinders spielt, und umgekehrt. Diese Stifte oder Pistons empfangen nun den Schlag des Percussionshammers und pflanzen ihn auf die Ladung des Geschosses fort, wodurch die Entzündung erfolgt.

Da dieser Revolver des Herrn Loron sich noch nicht im Handel befindet, so wird man ohne Zweifel begreifen, warum wir es unterlassen haben, von dem Mechanismus zu sprechen, durch welchen der Drehapparat in Bewegung gesetzt wird.

Die Waffe, welche wir in Händen gehabt haben, war ein Modell, an welchem alle Theile von

Herrn Loron selbst ausgeführt und miteinander verbunden waren. Da dieser geschickte Practiker nach Brüssel kam, um sich nach Lüttich zu begeben, wo er die Absicht hatte, im Großen Exemplare seiner beiden neuen Systeme, nämlich der Salonpistole und des Revolver's mit Knallsilber, auszuführen zu lassen, so hat er die Güte gehabt, diese Waffen uns zur Begutachtung vorzulegen, und wir haben in Betreff seines Revolver's noch folgende Wünsche ausgesprochen:

1) Die Batterie müßte einen etwas sanfteren Gang bekommen, damit ihr Spiel weniger hart und das Abbrücken weniger ruckweise erfolge.

2) Die Pistons oder Stifte müßten große Beweglichkeit erhalten, damit die Rückstände des Knallpulvers, wenn sie sich an denselben festsetzen, nicht ein Hängenbleiben an den Wandungen der Schwanzschrauben oder in ihren Canälen bewirken.

3) Wenn die Pistons durch irgend eine Ursache ihre Beweglichkeit verlieren sollten, so könnten sie eine nachtheilige Reibung am Knallpulver der Geschosse ausüben, sobald letztere in die Röhren oder Kammern hineingetrieben würden. Es würde deßhalb zweckmäßig sein, wenn die Schwanzschrauben ausgetieft und mit einer Ausladung oder Wulst versehen wären. Diese von Herrn Delvigne erfundene und von dem berühmten englischen Büchsenmacher Wilkinson häufig angewendete Einrichtung würde gestatten, die Kugeln breit zu drücken und ohne Gefahr im Laufe hinabzutreiben, besonders wenn man zu gleicher Zeit zwischen dem hintern Theile des Cylinders und dem vordern Theile oder der Bedeckung des Schloßbleches einen hinlänglich großen Raum übrig läßt, so daß die Pistons ein freies und unbehindertes Spiel haben können.

Herr Loron ist ein Mann von zu großem
Scharfblick, als daß er nicht die Richtigkeit unserer
Bemerkungen eingesehen haben sollte; auch hat er
uns die Versicherung gegeben, daß er sie berücksichti=
gen wolle.

Wir haben die innige Ueberzeugung, daß die
Knallpulver bald das gewöhnliche Schießpulver ver=
drängen werden. Da indessen die Kenntniß derjeni=
gen Substanzen, welche man zu diesem schrecklichen
Erzeugnisse benutzen kann, noch nicht eine vollkom=
mene ist und ihre Manipulation noch zahlreiche Ver=
besserungen zuläßt; da anderntheils die Gewohnhei=
ten des Publicums sich nicht in einem einzigen Tage
umwandeln, und alle Regierungen ein entschiedenes
Interesse besitzen, die Neuerungen dieser Art nicht zu
begünstigen und zu befördern, so glauben wir, daß
die Knallpulver, so wie auch die Waffen, welche auf
die Anwendung von Knallpulver berechnet sind, nicht
so bald in allgemeinen Gebrauch gelangen werden.
In diesem Betreff dürften nachstehende Notizen über
die neuesten Entdeckungen hinsichtlich der Knallpulver
von Interesse sein.

Wenn man Zucker mit einer Mischung concen=
trirter Schwefelsäure und Salpetersäure behandelt,
entsteht ein eigenthümlicher Körper, welcher dem ge=
wöhnlichen Harz sehr ähnlich ist, nicht nur in seinen
physischen Eigenschaften, sondern auch durch seine
Auflöslichkeit in Alkohol, Aether und flüchtigen Oelen
und durch seine Unauflöslichkeit in Wasser.

Diese Substanz ist aber sehr entzünd= und ex=
plodirbar und besitzt mehre Eigenschaften des berühm=
ten griechischen Feuers. Thompson hat sie zur
Verfertigung von Bombenzündern benutzt, ferner um
Schießpulver und Feuerwerksstücke gegen Feuchtigkeit
zu schützen. Als Zünder angewandt, entzündet sie
sich leicht, verbrennt sehr regelmäßig und scheint auf

keine Weise ausgelöscht werden zu können; eine Eigen=
schaft, die sich für Rollschüsse empfiehlt. — Besonders
schätzbar ist die Substanz, um das Pulver gegen
Feuchtigkeit und deren Folgen zu schützen. Das
beste Verfahren, sie hierzu anzuwenden, besteht darin,
das Pulver einige Secunden in eine Auflösung von
Knallzucker in Alkohol zu tauchen, es dann heraus
zu nehmen und beigelinder Wärme, nämlich 39° R.,
trocknen zu lassen; übrigens kann man auch ohne
Gefahr eine Temperatur von 80° R. anwenden.
Auf diese Art wird das Pulver mit einer Schicht
von sehr entzündbarem Firniß überzogen, welcher im
Wasser unauflöslich ist; derselbe kann deßhalb das
Pulver nicht durchdringen, dessen Explodirbarkeit durch
diese Behandlung eher erhöht, als vermindert wird.
Die Auflösung des Knallzuckers in Aether ist schwie=
riger zu behandeln und scheint sich zu diesem Zwecke
nicht so gut zu eignen.

  Bereitung des Knallzuckers. — Nach fol=
gendem Verfahren gelang Thompson die Bereitung
dieses Körpers am Besten. Man macht eine Mi=
schung von 16 Theilen concentrirter Schwefelsäure
und 8 Theilen Salpetersäure von 48° Beaumé
(1,500 spec. Gew.); man stellt dieselbe in kaltes
Wasser, und wenn diese Temperatur auf 12° R.
herabgesunken ist, setzt man unter Umrühren 1 Theil
fein gepülverten Zucker zu, welcher in einigen Se=
cunden teigig wird; diesen Teig nimmt man heraus
und wirft ihn in kaltes Wasser; man kann dann der
Säuremischung mehr Zucker zusetzen und auf dieselbe
Art behandeln. Man wäscht hierauf das Product
in Wasser, und löst es in Alkohol auf; die Flüssig=
keit versetzt man in Ueberschuß mit einer Auflösung
von kohlensaurem Kali, welche die fragliche Substanz
ausfällt und die nicht mit ihr verbundene Säure
neutralisirt. Nachdem man sie sorgfältig mit Wasser

ausgewaschen hat, löst man sie in Alkohol auf und
läßt die Flüssigkeit bis zur Trockne verdampfen. Der
Rückstand muß die Durchsichtigkeit und allgemeinen
Eigenschaften des Colophoniums besitzen.

Folgendes neue Schießpulver empfiehlt Herr
Augendre:

Krystallisirtes gelbes Blutlaugensalz 1 Gewichtsth.

Weißen Zucker . . . 1 =

Chlorsaures Kali . . . 2 . =

Jede dieser Substanzen wird für sich zu einem
feinen Pulver zerrieben und dann das Ganze gemengt, wobei natürlich, wegen der Möglichkeit einer
Explosion, mit Vorsicht zu verfahren ist. Kleine
Mengen, z. B. einige Grammen, kann man nach
dem Verfasser trocken in einem Achatmörser mischen,
ohne selbst bei starker Reibung eine Explosion befürchten zu dürfen. Bei größeren Massen befeuchtet
er das ganze Gemenge mit 2—3 Procent Wasser
und bewirkt die Mischung in einem Broncemörser
mit Holzpistill oder in einem hölzernen Mörser mit
broncenem Stampfer. Auch bei längerer Benutzung
eines Mörsers und Stampfers von Bronce hat er
niemals eine Explosion erlebt. Als er dagegen eine
Quantität von ungefähr 60 Grammen seines Schießpulvers, welche in einem Pulverhorn aufbewahrt und
mit einigen noch darin enthalten gewesenen Körnern
gewöhnlichen Schießpulvers gemengt war, trocken in
einem Porcellanmörser mischen wollte, trat bei den
ersten Bewegungen des Pistills eine heftige Explosion
ein, durch welche der Verfasser zurückgeworfen und
dermaßen an den Augen beschädigt wurde, daß er
mehre Tage lang fürchten mußte, ganz erblindet zu
sein. Offenbar war es die Kohle und der Schwefel
des gewöhnlichen Schießpulvers, welche diesen Erfolg
herbeiführten, indem sie bei der Reibung auf Kosten
des Sauerstoffs vom chlorsauren Kali verbrannten

und die Verpuffung einleiteten, welche sich dann in
Folge der dabei eingetretenen Erhitzung über die
ganze Masse verbreitete, und es folgt hieraus, daß
die unverbundenen Elemente Kohle und Schwefel
weit leichter durch Reibung mit chlorsaurem Kali
verbrennen und eine Explosion veranlassen, wie die
brennbaren Elemente, welche im Blutlaugensalz und
im Zucker in chemischer Verbindung enthalten sind,
so wie andererseits daraus hervorgeht, daß bei Versuchen mit neuem Schießpulver, bei denen dasselbe
einer Reibung ausgesetzt wird, die Beimengung von
Kohle, Schwefel oder gewöhnlichem Schießpulver mit
größter Sorgfalt zu vermeiden ist. Frei von solcher
Beimengung, ist es sowohl durch Reibung, wie durch
einen Schlag, nur schwer zum Explodiren zu bringen. Durch einen Schlag von Holz auf Holz, oder
von Holz auf Metall explodirt es niemals, und durch
einen Schlag von Eisen auf Eisen nur dann, wenn
es vollkommen trocken ist.

Der Verfasser legt seiner Schießpulvermischung
folgende Vorzüge bei: 1) es entzündet sich sowohl
im gekörnten, wie im ungekörnten Zustande sehr leicht
durch einen brennenden oder rothglühenden Körper,
versagt niemals und läßt wenig Rückstand; 2) da
es aus Ingredienzien von constanter chemischer Zusammensetzung besteht, so wird eine gewisse Ladung
auch immer dieselbe Kraftentwickelung geben; 3) die
Ingredienzien sind unveränderlich durch Luft und
Feuchtigkeit; ihre Mischung läßt sich also ohne Veränderung beliebig lange aufbewahren; 4) da die
Kraft dieses Schießpulvers außerordentlich groß ist,
so nimmt eine Ladung von gegebener Stärke einen
geringern Raum ein, wie bei'm gewöhnlichen Schießpulver; man kann daher in einem gegebenen Raum
eine größere Anzahl von Ladungen transportiren;
5) dieses Pulver läßt sich ebenso gut als Mehl, wie

im gekörnten Zustande benutzen; man könnte es also
auf die Weise anfertigen, daß die vorher einzeln zerriebenen Ingredienzien in einer ledernen, sich langsam umdrehenden Trommel bloß trocken gemischt
würden. Indem auf diese Art zur Pulverbereitung
nur wenig Zeit erforderlich wäre, könnte man ganz
davon absehen, in Festungen 2c. größere Mengen
Pulver vorräthig zu halten, sondern statt dessen die
Vorräthe der zerriebenen Ingredienzien einzeln aufbewahren, um sie nach Bedarf zu Pulver zusammen-
zumischen. Man würde dadurch die Gefahren beseitigen, welche mit der Anhäufung großer Pulvervor-
räthe verbunden sind.

Als ungünstige Eigenschaften dieses Pulvers
führt er dagegen an, daß es wegen seines Gehaltes
an chlorsaurem Kali bei'm Anbrennen oxydirend auf
die eisernen Läufe wirkt, und daß es leichter ent-
zündlich ist, wie das gewöhnliche Schießpulver, obschon weit weniger leicht, wie die sonstigen Pulver-
mischungen mit chlorsaurem Kali, die man bis jetzt
probirt hat. (Der beträchtlich höhere Preis der Ma-
terialien, sowie die wahrscheinlich größere Gefahr bei
der Handhabung dieses neuen Schießpulvers, sind
andere Uebelstände, welche demselben schwerlich gestatten werden, die bisherige Pulvermischung zu verdrängen.)

Nach den Untersuchungen von Flores Do-
mente, Ménard und Sobrero besitzt auch das
durch Behandlung von Mannazucker (Mannit) mit
rauchender Salpetersäure erhaltene Product stark be-
tonirende Kraft. Nach Sobrero detonirt es unter
dem Hammerschlage ebenso stark, wie das Knallquecksilber und erzeugt soviel Wärme dabei, um das
Pulver in der Flinte zu entzünden. Er stellte sich
kleine Kapseln dar, welche er mit ein Wenig salpeter-
saurem Mannit füllte, welcher aus Alkohol krystal-

lifirt war; fie entzündeten das Gewehr fo gut, wie
das Knallqueckfilber. Ohne Zweifel hat das falpeter=
faure Mannit wefentliche Vorzüge vor dem Knall=
queckfilber:

1) es wird immer weit wohlfeiler fein, wie
biefes, und

2) bei feiner Fabrication find die Arbeiter durch=
aus nicht den Gefahren ausgefetzt, wie bei den ge=
wöhnlichen Zündhütchen.

Mit der Fabrication find keine Gefahren für
den Arbeiter verknüpft. Es entwickeln fich bei der
Bereitung nur fehr wenig falpetrigfaure Dämpfe;
der falpeterfaure Mannit detonirt nur bei heftigem
Schlage zwifchen harten Körpern; eine langfam auf
ihn einwirkende Hitze läßt ihn fchmelzen und zerfetzt
ihn dann ohne Detonation. Auf etwas Papier ge=
legt und dann auf eine glühende Kohle gebracht,
fchmilzt die Verbindung ohne Explofion, diefe tritt
felbft nicht ein, wenn das Papier verbrennt.

Unter dem Hammer zerfetzt fich der falpeter=
faure Mannit, ohne einen Rückftand zu hinterlaffen
und ohne falpetrigfaure Dämpfe zu erzeugen. Er
fcheint fich vollftändig in Kohlenfäure, Waffer und
Stickftoff zu zerlegen und läßt fich ohne Zerfetzung
beliebig lange aufbewahren.

Demnach möchte diefe Verbindung viel Aufmerk=
famkeit verdienen, und ein deutfcher Chemiker von
berühmtem Namen fteht im Begriff, eine Reihe von
Verfuchen zu unternehmen, in wie weit die Hoffnun=
gen, welche man an den falpeterfauren Mannit ge=
knüpft, fich vielleicht erfüllen können.

Darftellung des reinen Mannits. —
Nach Ruspini in Bergamo löft man zu diefem
Behufe Manna (am Beften eine geringe Sorte) in
ihrem halben Gewichte Regenwaffer, klärt mit Ei=
weiß und colirt fiedend durch einen dichten, wollenen

Spitzbeutel. Die Masse erstarrt krystallinisch und wird mit Spatel und Händen zu einem Brei verarbeitet, auf einem leinenen Spitzbeutel abgetropft und aus= gepreßt. Die braune Mutterlauge liefert bei'm Ein= dampfen eine Menge Mannit. Der braune Mannit enthält noch viel Mutterlauge und wird mit kaltem Regenwasser zum dicken Brei angerührt, auf einen Spitzbeutel gebracht und abgepreßt, dann in der sechs = bis siebenfachen Menge heißen Wassers ge= löst, mit Thierkohle behandelt und filtrirt. Die Lö= sung giebt bei'm Eindampfen große Krystallgruppen von farblosem, reinem Mannit.

Nach dem Vorausgeschickten empfehlen wir den Gebrauch des Revolver's Comblain solchen Lieb= habern, denen die Bewegung mit unterbrochener Drehung zusagt; wir rathen dagegen Denjenigen, welche dem Systeme ununterbrochener Drehung den Vorzug geben, zum Revolver Adams=Deane und Mangeot=Comblain*); und was den Revolver Loron anlangt, so gehört ihm der ferne Horizont und das unermeßliche Gebiet der Zukunft!

---

*) Die Herren Mangeot und Comblain haben so eben gemeinschaftlich zwei neue Vervollkommnungen an ihrem Revolver angebracht, und zwar 1) diese Pistole, obgleich von ununterbrochener Umdrehung, kann durch eine gewisse Einrich= tung, welche am Mechanismus angebracht ist, gespannt werden, als ob sie von unterbrochener Bewegung sei, was für das Schießen sehr günstig ist; 2) der Ladestock ist in einen zwi= schenklichen Hebel mit Zahnstange umgewandelt worden, wor= aus sich ergiebt, daß man zwei Ladungen auf einmal in ihre betreffenden Kammern bringen kann. Diesen Veränderungen können wir unsererseits unsern Beifall nicht versagen.

Allgemeine Grundsätze

über

das Schießen mit dem Revolver.

———

Allgemeine Grundſätze über das Schießen mit dem Revolver.

Obgleich der Revolver mit unterbrochener Dre=
hung für jeden Schuß aufgezogen werden muß, ſo
behauptet er doch vor der gewöhnlichen Piſtole, ſo=
wohl vermöge der Schnelligkeit des Schießens, als
der Leichtigkeit des Ladens, einen großen Vorzug.

Der Revolver mit ununterbrochener Drehung
beſitzt ſeinerſeits einen unbeſtreitbaren Vorzug vor
dem vorhergehenden, nicht allein wegen der Schnel=
ligkeit ſeines Schießens, ſondern auch, weil man zur
Handhabung desſelben nur der rechten Hand bedarf.
Es liegt deßhalb außer allem Zweifel, daß der erſte
Revolver bald der Scheibenpiſtole werde ſubſtituirt
werden, weil man ihn zu zwei Zwecken benutzen
kann, und daß der zweite Revolver binnen Kurzem
als Waffe im Kampf allgemeine Anwendung finden
werde.

Da wir dieſe Veränderungen vorherſehen, ſo
erlauben wir uns einige Bemerkungen über die

Grundfätze, welche sich auf das Schießen mit dem
Revolver beziehen, und um uns ganz kurz zu fassen,
haben wir hier nur den Revolver mit ununterbro=
chener Umdrehung, d. h. denjenigen vor Augen,
deſſen Handhabung am Einfachſten, am Leichteſten
iſt, und deſſen Nützlichkeit uns am Beſten erwieſen
zu ſein ſcheint.

Die Regelmäßigkeit und die Wirkſamkeit des
Schießens mit dem Revolver haben folgende Bedin=
gungen zur Grundlage: 1) die Schätzung der Ent=
fernungen; 2) die Kenntniß der Waffe; 3) die
Handhabung derſelben.

Wir wollen ganz in der Ordnung zu Werke
gehen und von dieſen verſchiedenen Bedingungen
eine nach der anderen prüfen.

Von der Schätzung der Entfernungen.

Gerade deßhalb, weil man ſeine Waffe kennen
und ſich derſelben zu bedienen verſtehen muß, iſt's
auch von Belange, daß man die Entfernungen zu
ſchätzen verſtehe. Angenommen, z. B., ein Revolver
beſitze eine Tragweite von 150 Meter und einen
Kernſchuß auf 100 Meter, und der Schütze, der auf
100 Meter weit zu ſchießen hat, bilde ſich ein, der
zu treffende Gegenſtand ſei gegen 150 Meter weit
entfernt; was wird davon die Folge ſein? Der
Schütze wird demgemäß viſiren, und der Schuß, weil
er zu hoch gehet, wird das Ziel verfehlen. Wenn
der Schütze dagegen auf eine Entfernung von 150
Meter zu ſchießen hat, den Gegenſtand aber nur
100 Meter entfernt hält, ſo wird er zu tief viſiren,
und der Schuß wird ebenfalls das Ziel verfehlen.
Der Gegenſtand iſt ſo klar, daß man darüber keine
Worte weiter zu verlieren braucht.

Der Schütze muß sich häufig an paſſende Dert=
lichkeiten begeben und hier, nachdem er sich ein
künſtliches Ziel gewählt hat, einen Baumſtamm, eine
Hecke, eine alte Mauer, oder irgend eine Zufälligkeit
des Terrains, bald in dieſer, bald in einer andern
Richtung die Entfernungen abſchreiten, und wenn er
nun eine gewiſſe Richtigkeit in der Abſchätzung der
Entfernungen erlangt hat, so muß er seine Verſu=
che damit beschließen, daß er einige Piſtolenſchüſſe
nach einem Bretſtücke thut, welches er für diesen
Zweck mitgebracht hat. Solche Uebungen kann man
begreiflicher Weise dadurch noch intereſſanter machen,
daß man sie in Gesellschaft einiger Freunde vor=
nimmt.

Sonſt übte man in den Regimentern die Mann=
ſchaften, die Entfernungen mittelſt eines kleinen Bret=
chens abzuschätzen. Dieses Mittel wird indeſſen in
Frankreich jetzt nicht mehr in Anwendung gebracht,
ohne daß uns der Grund davon bekannt iſt. Es
würde indeſſen sehr gut sein, wenn die Soldaten
und Officiere, ſtatt ihre köſtliche Zeit mit mancherlei
zwecklosen Dingen zu verlieren, häufigere Uebungen
im Schießen anſtellten. Allerdings hat sich die mi=
litäriſche Inſtruction seit einigen Jahren in allen
Hinſichten verbeſſert, aber sie läßt doch noch Manches
zu wünschen übrig, und in Gegenwart der ernſten
Ereigniſſe, die aus der gegenwärtigen Situation her=
vorgehen könnten, würde es von Wichtigkeit sein,
daß man diesen Punct besonders in's Auge faſſe.

Wir wünſchten, daß die Compagnien, Pelotons
und Escadrons wöchentlich wenigſtens einmal in's
Freie geführt würden; daß man die Mannſchaften
in Gruppen von 5 oder 6 Personen, unter der Auf=
ſicht der Unterofficiere und Officiere, theilte, und daß
man für jeden einzelnen Soldaten, außer den ſoge=
nannten Handgriffen, eine Art des Unterrichts an=

11 *

wendete, der im Verhältniß zu seinen geistigen Kräf-
ten steht; daß man endlich den Wetteifer Aller durch
Gratificationen erregte, die im Verhältnisse zum Eifer
stehen, den ein Jeder bekundet hat. Bekanntlich werden vor den Generalinspectionen oder während derselben an die Aufseher in den Regimentsschulen,
wie auch an die guten Schützen der Infanteriecorps,
einige Preise vertheilt; aber warum verfährt man
nicht bei dieser Waffengattung, wie man es bei der
Artillerie zu thun gewohnt ist, wo diejenigen, welche
die Geschütze gut gerichtet haben, für jeden guten
Schuß in der Schießschule eine Belohnung bekommen und zwar während der ganzen Zeit, wo im
Feuer exercirt wird? Die Resultate, welche neuer-
dings zu Bomarsund durch die französischen Chas-
seurs à pied erlangt worden sind, thun dar, welchen
gewaltigen Einfluß richtiges Schießen von Seiten
der Infanterie auf die militärischen Operationen einer Campagne haben kann, und wir werden auch
bald nachweisen, von welcher Wichtigkeit die Anwendung des Revolver's werden kann, sobald die
Cavalerie damit bewaffnet wird. Es ist also von
Belang, daß man alle möglichen Mittel anwende,
um gute Schützen zu bilden; nun ist aber die sichere
und richtige Schätzung der Entfernungen in hohem
Grade geeignet, dieses Ziel zu erreichen.

Vor kurzer Zeit hat Herr Delhaye, Hauptmann der belgischen Chasseurs-Carabiniers, das
Tachymeter erfunden. Dieses Instrument ist trag-
bar, giebt sehr genaue Resultate und eignet sich
gleich gut zum Messen großer wie kleiner Entfernungen. Unseres Erachtens kann das Tachymeter
recht gut von der Artillerie und von verschiedenen
Infanteriecorps, namentlich von den Tirailleurs, benutzt werden; da aber seine Anwendung nothwendig
erheischt, daß man auf der Stelle selbst eine Berech-

nung ähnlicher Dreiecke vornehme, so liegt auf der
Hand, daß es unmöglich sei, bei'm ganz nahen,
bei'm raschen, bei'm unvorhergesehenen und bei dem
ganz zufälligen Schießen mit dem Revolver davon
Gebrauch zu machen. Um dahin zu gelangen, um
bei'm Schießen mit dem Revolver die Entfernungen
gut und auf den ersten Blick zu schätzen, giebt es
nichts Besseres, als häufige Uebungen anzustellen
und dabei viele Schüsse zu thun.

Von der Kenntniß der Waffe.

Die Kenntniß der Waffe umfaßt: das Studium
ihres Kornes, ihrer Tragkraft, der Ladungen, welche
sich am Besten für dieselbe eignen, und des Verfah=
rens, welches man bei'm Laden derselben anwendet.

Das Korn. — Man wird nie eine gewisse
Richtigkeit des Schusses und eine etwas zufrieden=
stellende Sicherheit mit einem Revolver erlangen,
auf welchem das Korn schlecht angebracht ist.

Ein gutes Korn erhält man dann, wenn zwei
Stücke miteinander concordiren, deren Functionen,
obgleich sie auf festen Gesetzen ruhen, dennoch nicht
allgemein genug bekannt sind. Diese beiden Stücke
nun sind das Korn und das Visir*).

Jedermann kennt diese beiden Stücke zur Ge=
nüge; auch ist wohl ziemlich allgemein bekannt, daß
durch eine harmonische Eigenschaft ihre gegenseitige
Wirkung auf die ganze Waffe (eine ganz unähnliche
Wirkung isolirt genommen) in der Art einwirkt, daß
das Eine durch das Andere rectificirt wird, worin
eben das Visiren besteht. Die Erscheinung des Vi=

---

*) Unter Visir ist hier immer nur der Visireinschnitt ver=
standen.

firens hat große Aehnlichkeit, nur in einer anderen
Ordnung der Dinge, mit derjenigen, welche vor sich
geht, wenn das Senforium oder das Gehirn eine
einzige Empfindung concentrirt, und die beiden Em-
pfindungen oder die beiden Bilder, welche von den
Sehnerven aufgefaßt worden sind, zu einem einzigen
Bilde verschmilzt.

Ohne uns also auf eine Demonstration der
Grundsätze einzulassen, auf welchen die Regeln des
Schießens beruhen, beschränken wir uns bloß auf
den allgemeinen Satz: wenn man annimmt, daß die
Waffe ihre gehörige Lage habe, so müssen der Visireinschnitt und der höchste Punct des Korns in der
verticalen Ebene liegen, welche durch die Achse des
Laufes läuft, und müssen sich auch in gleichem Abstande von der horizontalen Ebene befinden, welche
durch dieselbe Achse läuft. Um uns einfacher auszu-
drücken, wollen wir sagen: das Visir und das Korn
müssen sich in derselben Richtung befinden, welche
bezeichnet wird durch die gerade Linie, die über die
Oberfläche des Laufes läuft, und müssen dieselbe
Höhe haben, nachdem in Abzug gebracht worden
ist die Differenz der Dicke, welche der Lauf an seinen beiden Enden darbietet.

Die Anomalien des Sehorgans haben indessen
manchmal einen Einfluß auf die Stellung des Korns;
und da man sich dann von der obigen Regel entfernen muß, so sucht man soviel wie möglich die
Abirrungen des Sehstrahles mit Hülfe von entgegengesetzten Einrichtungen bei der Anbringung des Korns
zu neutralisiren.

Die Bildungsfehler, die man aus Höflichkeit
häufig optische Täuschungen nennt, spielen also
eine große Rolle bei der Anbringung des Korns in
Folge der Modificationen, welche sie veranlassen.
Auf letztere wollen wir uns weiter nicht einlassen,

sondern beschränken uns bloß darauf, dieselben an-
zugeben, weil es Resultate sind, welche durch die
Erfahrnng erlangt und bestätigt worden sind.

Wenn das Auge nach Links abweicht, so bringt
man das Visir ein Wenig nach Rechts, denn wenn
man es auf die eingebildete Visirlinie, d. h. links von
der wirklichen Visirlinie brächte, so würde der Pulversack eine entsprechende Richtung einnehmen, und
der Schuß würde zu weit nach Rechts erfolgen.
Wenn im umgekehrten Falle das Auge nach Rechts
abweicht, muß man das Visir ein Wenig nach Links
von der verticalen Achse bringen.

Wenn das Gesicht nach Links abweichen sollte,
so müßte man aus ähnlichen Gründen das Korn
ein Wenig nach Links bringen, um dadurch diesem
Uebelstande abzuhelfen; und wenn das Gesicht nach
Rechts abweichen sollte, so müßte man auf gleiche
Weise das Korn ein Wenig nach Rechts bringen.

Wenn der Mangel des Organs kaum merklich
ist, so begnügt man sich gewöhnlich, ein klein Wenig
nach Links, oder, je nach dem Falle, nach Rechts zu
visiren, ohne deßhalb die Stelle des Korns zu verändern; tritt aber dieser Mangel entschieden hervor,
so muß man durchaus eins der erwähnten Aus-
kunftsmittel in Anwendung bringen. Der größere
Theil der Schützen giebt der Verrückung des Korns
den Vorzug *); wenn indessen .die Abweichung sehr
auffallend ist, würde es unseres Erachtens vortheilhaft sein, ein bewegliches Visir zu haben, weil 1)
die Oberfläche des Laufes am Pulversacke flach ist,

---

*) Derjenige, welcher gewohnt ist, das Korn zuerst bei
Fixirung des Zieles auf die Visirlinie zu bringen, muß vor-
zugsweise das Korn verrücken, wenn er mit einem Mangel des
Organes behaftet ist; und umgekehrt geschieht dieses mit dem
Visir.

nicht aber vorn an der Mündung und die Ortsver=
änderung des Visires beträchtlicher sein kann, als
diejenige des Korns; und sodann weil die Verrückung
des Visirs von größerer Wirkung ist.

Es würde nun ganz natürlich sein, wenn der
Leser hier folgende Fragen an uns richtete:

Zuerst: welches Zahlenverhältniß besteht zwischen den
beiden in entgegengesetzter Richtung bewirkten Verschiebun=
gen, die eine am Visir, die andere am Korn, so daß sie
eine gleiche Wirkung hervorbringen, d. h., daß man ent=
weder die eine oder die andere ohne Unterschied wählen
kann.

Ferner: um eine Waffe dahin zu bringen, daß sie
mehr nach dieser oder jener Seite schießt, um nämlich einen
bestimmten Sehfehler zu corrigiren, um welchen Betrag hat
man alsdann das Visir oder das Korn zu verrücken?

Diese beiden Fragen sind, mit einander in Ver=
bindung gebracht, von großer Wichtigkeit, auch ge=
winnt es den Anschein, daß ihre Beantwortung ganz
gerade auf die Regulirung des Kornes in einer Weise
führen müsse, daß den Sehmängeln ganz bestimmt
abgeholfen werden kann; da man aber darauf be=
schränkt ist, auf äußerst kleine Größen zu wirken, so
folgt daraus, daß die geringste Unrichtigkeit in der
Praxis zu irrigen Resultaten führt. Bis jetzt hat
sich, wenigstens unsers Wissens, kein Schriftsteller
damit beschäftigt, die Aufgabe zu lösen. Obgleich
die engen Grenzen dieser Schrift uns verwehren,
diese Frage gründlich zu erörtern und eine strenge
Demonstration der Gesetze zu liefern, welche hier in's
Spiel kommen, so wollen wir doch versuchen, einige
Vorschriften zu geben, mit deren Hülfe es möglich
sein dürfte, die Stellung des Kornes auf eine be=
friedigende Weise zu reguliren.

Wenn man die Waffen in Erwägung zieht, welche die Anwendung der beiden Hände nothwendig machen, (z. B. die Flinte), so giebt uns, da die linke Hand gewissermaßen zum Unterstützungspuncte der beiden Arme eines Hebels dient, welcher durch den ganzen Lauf gebildet wird, die Elementargeometrie, vermöge der Eigenschaften ähnlicher Dreiecke, folgendes Verhältniß: Die Verschiebung des Korns verhält sich zur Verschiebung des Visirs, wie sich verhält die Länge desjenigen Theiles des Laufes, welcher sich vom Korn bis zum Unterstützungspuncte erstreckt, zur Länge des andern Theiles des Laufes verhält, nämlich desjenigen, welcher sich vom Unterstützungspuncte bis zum Visire erstreckt.

Gehen wir nun zu den Waffen über, welche mit einer einzigen Hand abgeschossen werden (im Allgemeinen zur Pistole), so finden wir, weil der Unterstützungspunct im Griffe liegt, folgende Proportion: Die Verschiebung des Korns verhält sich zur Verschiebung des Visirs, wie sich der Abstand verhält, welcher das Korn von dem Griffe trennt, zu dem Abstande, welcher das Visir von dem Griffe trennt.

Wenn es sich nun darum handelt, eine gewünschte Wirkung zu erhalten, so muß die Verschiebung des Visires immer geringer sein, als diejenige des Korns, wegen der Ungleichheit der Hebelarme; und außerdem kann man das Verhältniß, welches zwischen diesen beiden Verschiebungen Statt finden muß, nur erst berechnen, nachdem man auf eine genaue Weise entweder den Ort des Schaftes bestimmt hat, wo die linke Hand die Flinte unterstützt, oder den Ort des Griffes, wo die rechte Hand die Pistole ergreift.

Zur Flinte zurückkehrend und andere Sätze miteinander vergleichend, würden wir folgendes neue Verhältniß erhalten: Die Abweichung des Auges verhält sich abwechselnd zur Verschiebung des Korns und zu derjenigen des Visires, wie sich die Länge der Tragweite der Waffe zu jeder der beiden respectiven Theile verhält, welche die Länge des Laufes bilden *).

Kehren wir nun zur Pistole zurück, so würde sich folgende Proportion ergeben: Die Abweichung des Auges verhält sich abwechselnd zur Verschiebung des Korns und zu derjenigen des Visirs, wie sich die Länge der Trag= weite der Waffe zu jedem der Abstände verhält, welche das Korn und das Visir **) von dem Griffe trennen.

Da es aber leicht ist, die Länge einer jeden der Unterabtheilungen der Waffe zu bestimmen, und da die Abweichung des Auges durch vergleichende Ver= suche mit Genauigkeit sich ermessen läßt, so folgern wir aus den oben aufgestellten Grundsätzen, daß, um in einem gegebenen Falle die Verschiebung des Korns oder diejenige des Visirs zu erfahren, es aus= reichend sei, eine Gleichung des ersten Grades lösen zu können. Wir brauchen nun dem Leser hier kaum zu wiederholen, daß es sich hier um wechselsweise umgekehrte Verschiebungen am Korn und am Visir handelt.

Die Verschiebung des Visirs nach Rechts führt nämlich ein ähnliches Resultat, wie die Verschiebung des Korns nach Links herbei, und es ergiebt sich daraus, daß, wenn man verhältnißmäßig und in entgegengesetzter Richtung zugleich Visir und Korn bewegen wollte, die eine dieser Operationen ganz unnütz sein würde.

---

*) Das Visir, nehmen wir an, sitzt am Anfang der Schwanzschraube.
**) Dieser Grundsatz beruht auf einer Hypothese: daß näm= lich die Tragweite der Waffe vom Griffe an, statt vom Pulver= sacke an, berechnet werden muß, welche Differenz in der Praxis nicht in Berücksichtigung kommt.

Man könnte glauben, daß, wenn man in der= selben Richtung und um eine gleiche Quantität das Visir und das Korn verschiebt, man zwei Operatio= nen ausführe, die sich gegenseitig neutralisiren; die= ses ist indessen keineswegs der Fall. Angenommen, man verschöbe gleichzeitig das Visir und das Korn nach Rechts, was würde dann geschehen? Wenn man das Korn und das Visir auf die Visirlinie brächte, so würde man die Schußlinie, wie auch die Flug= bahn des Geschosses nach Links versetzen. Und würde man das Korn nebst dem Visir zugleich nach Links bewegen, so müßte man in Bezug auf die Schußlinie, wie auf die Flugbahn das entgegenge= setzte Resultat erhalten.

Es würde möglich sein, dieses Princip bis zu einem gewissen Punct zu benutzen, und die Abwei= chungen des Gesichts zu rectificiren; aber man hat gefunden, daß diese doppelte Operation nicht so wirk= sam ist, als diejenige, welche sich darauf beschränkt, das Korn, oder das Visir einzeln zu verschieben. Dennoch hat man obiges Mittel angewendet, sobald man einer gewissen üblen Gewohnheit entgegen wir= ken will, die viele Schützen angenommen haben, nämlich der Gewohnheit, die Waffe geneigt zu halten.

Uebrigens lehren uns schon die ersten Begriffe über die allgemeinen Grundsätze des Schießens mit Schießgewehren, daß, wenn der Lauf nicht mehr in der richtigen Lage liegt, die Schießlinie und die Flugbahn sich in derselben Richtung verrücken, nach welcher die Waffe geneigt ist. Anderntheils haben wir auch gefunden, daß man, wenn das Visir und das Korn nach der Seite bewegt wird, gegen welche die Waffe geneigt ist, so versetzt man die Schießlinie und die Flugbahn nach entgegengesetzter Richtung. Hieraus leiten wir nun die folgende Regel ab:

Wenn man den Fehler hat, die Waffe nach Rechts zu neigen, so muß man das Visir und das Korn ein Wenig nach Rechts versetzen. Wenn man ferner die Gewohnheit hat, seine Waffe nach Links geneigt zu halten, so muß man das Korn und das Visir ein Wenig nach Links versetzen.

Wir dürften wohl Alles gesagt haben, was sich in einem Werkchen wie dieses über die Anbringung des Kornes sagen läßt, nachdem wir die folgenden Bemerkungen hinzugesetzt haben werden:

Gewisse Schützen, statt das Korn nach Links oder nach Rechts zu versetzen, begnügen sich, nach der beabsichtigten Richtung hin die Höhe des Korns zu neigen. Ein solches Verfahren ist aber fehlerhaft, weil erstlich dadurch das Korn viel von seiner Festigkeit verliert und in die Gefahr geräth, bei'm geringsten Stoß sich aus der Verlöthung zu lösen; sodann weil es dazu beiträgt, den Sehstrahl längs einem schrägen Schafte zu verirren, was für's Visiren wenig Festigkeit und noch weniger Genauigkeit giebt.

Andere Schützen, welche ein halbmondförmiges Visir anwenden, nehmen die Gewohnheit an, die Visirlinie durch das eine Ende der Krümmung zu legen, je nachdem das Ziel ihnen links oder rechts von dem Puncte erscheint, wo es sich wirklich befindet. Dieses Verfahren ist den richtigen Grundsätzen des Schießens ganz entgegen.

Der Kopf des Korns muß von der Stärke eines kleinen Nadelkopfes sein, und sein Rücken so dünn wie möglich. Wenn es sich von einer langen Waffe handelte, z. B. von einer Flinte, so könnte man begreiflicher Weise von dieser Regel zu Gunsten einer kurzsichtigen Person eine Ausnahme machen; in Betreff des Revolver's ist aber die Regel ganz allgemein.

Wir verwerfen förmlich die gekrümmten Visire. Der Visireinschnitt muß höchstens einen Winkel von

45° bilden, dessen Scheitel sich in der verticalen
Ebene befindet, welche durch die Achse des Laufes
läuft und dessen Schenkel (jeder von ungefähr 1
Millimeter), mit derselben verticalen Ebene zwei an=
liegende einander gleiche Winkel bilden.

Es giebt Personen, welche in Folge eines or=
ganischen Fehlers, dem bereits Erwähnten entgegen=
gesetzt, das Ziel über oder unter dem Puncte, den
es wirklich einnimmt, erblicken. Wenn wir mit ma=
thematischer Schärfe den Grad der Elevation bestim=
men sollten, nach welchem Korn und Visir bezüglich
zueinander herzustellen wären, um diesen Gesichts=
fehler aufzuheben, so müßten wir Berechnungen der
höheren Analysis in Anwendung bringen, die hier
nicht am Orte wären. Die Lösung der Aufgabe ist
in der That nur möglich, wenn man dem Fehler
des Organs, dem Caliber der Waffe, dem Volumen
ihres Stoffes an der Mündung und am Pulversacke,
dem bestehenden Abstande zwischen Korn und Visir,
oder ihrer Entfernung vom Auge des Schützen, die
mit der Natur der Waffe verschieden ist, und endlich
einer Menge anderer Rücksichten Rechnung trägt, de=
ren Aufführung hier überflüssig ist. Uebrigens, ob=
gleich die Sache von großer Wichtigkeit wird, sobald
es sich von genauen Schüssen und auf große Weiten
handelt, ist es doch eine ganz andere Sache, wenn
bloß der Revolver in Frage kommt. Welchen Werth
auch das sogenannte Klappvisir haben mag, womit
die Herren Vieillard und Minié die Militär=
büchse ausgestattet haben, so sind wir doch der Mei=
nung, daß ein solches Klappvisir an Kampfpistolen
eher belästigend, als von Nutzen sein werde.

Wir haben schon weiter vorn, als von den
allgemeinen Grundsätzen des Schießens die Rede
war, das Verhältniß angegeben, welches zwischen der
Elevation des Visires und derjenigen des Kornes be=

stehen muß. Ohne nun an diesem Verhältniß etwas
zu ändern, könnte man Mängel des Sehorgans auf
die Weise corrigiren, daß man ein Wenig tief vi=
sirte, wenn man den Gegenstand zu hoch erblickt,
dagegen etwas hoch visirt, wenn man den Gegen=
stand zu tief erblickt.

Die Erfahrung lehrt, daß, wenn man sich von
den Regeln entfernt, nach welchen das Korn ange=
bracht werden muß, ein hohes Korn, z. B., einen
tiefen Schuß, und ein niedriges Korn ein Steigen
des Schusses zur Folge hat. Bei einem hohen Vi=
sire dagegen schießt man zu hoch, und bei einem sehr
niedrigen Visire schießt man zu tief. Hieraus ergiebt
sich nun, daß der Schütze, welcher die Gegenstände
zu tief erblickt, entweder die Elevation des Korns
vermindern oder das Visir erhöhen kann. Ebenso
steht es dem Schützen frei, welcher den Gegenstand
zu hoch erblickt, die Elevation des Korns zu ver=
mehren oder diejenige des Visirs zu vermindern.
Würde man zu gleicher Zeit das Korn und das
Visir um eine verhältnißmäßige Quantität erhöhen,
so würde man damit weiter Nichts erreichen, als zu
tief schießen. Man muß indessen berücksichtigen, daß
bei dem Antagonismus zwischen dem Visir und dem
Korn die Wirkungen, welche man erlangt, wenn
man die Höhe des Visirs verändert, auffallender sind
als diejenigen, welche man erlangt, wenn man das
Korn um eine gleiche Quantität verändert.

Da indessen Nichts dem entgegen steht, daß
man das über die Abirrungen des Sehorgans Ge=
sagte, auf die Abweichungen anwende, die bei'm
Schießen in Folge eines fehlerhaft angebrachten Kor=
nes vorkommen können, so würde es immer möglich
sein, mit Hülfe der verschiedenen Grundsätze, die wir
erläutert haben, den Schuß einer schlecht geschäfteten

Waffe zu rectificiren, oder ein fehlerhaft angebrachtes Korn zu corrigiren.

Zugegeben, daß der Schuß der Militärwaffe viel dabei gewinnen würde, wenn das Korn auf die Weise regulirt würde, daß man einmal die Mängel des Sehorganes neutralisirte und ebenso auch die Abweichungen, welche von einem schlechtangebrachten Visir herrühren, so werden doch die meisten Leser zu glauben geneigt sein, daß es ganz unmöglich sei, unser System in einem großen Maßstabe in Ausführung zu bringen, (wenn auch nicht unter Elitencorps, doch wenigstens in den verschiedenen Regimentern der Armee) und zwar wegen der häufigen Veränderungen, denen die Waffen unterworfen sind. Aber man mache Korn und Visir beweglich, indem man sie nämlich an der Waffe mit Hülfe eines Rahmens in Falzen anbringt; man vertheile eine gewisse Anzahl solcher Gewehre unter jeder Kompagnie oder Escadron; man übe die Mannschaft im Schießen und unterhalte hauptsächlich ihren Wetteifer durch kleine Belohnungen: so wird man bald finden, welche Elemente des Erfolgs diese Modification in sich enthält.

Von der Tragweite einer Waffe, von ihren Ladungen und von der Art, wie dieselbe geladen werden muß. — Da diese drei Puncte untereinander zahlreiche Verwandtschaften haben, so wird es mehrmals vorkommen, daß wir ohne vorläufige Erklärung von dem einen zum andern übergehen oder von dem einen zum andern zurückkehren.

Die wirkliche Tragweite einer Waffe wird bestimmt durch comparative Versuche, in welchen man wechselsweise die Pulverladung und die Bleiladung verändert. Da wir hier Leser im Auge haben, die eine gewisse Vertrautheit mit den Schießgewehren

besitzen, so wollen wir uns nicht ausführlicher dar=
über auslassen, wie der einzelne Schütze comparative
Versuche anzustellen habe.

In der Armee sind die Pulver= und Bleiladun=
gen durch zahlreiche Versuche bestimmt worden und
bleiben nun unveränderlich für alle Waffen dessel=
ben Modelles. Wenn es indessen unmöglich ist, bei
der Anwendung von Waffen desselben Calibers und
bei'm Schießen mit Kugeln das Geschoß zu verän=
dern, der Lauf des Gewehres möge nun glatt oder
gezogen sein: so dürfte es doch, unseres Bedünkens,
leicht sein, Patronen zu machen von z. B. drei ver=
schiedenen Nummern, die nur dadurch voneinander
verschieden wären, daß sie eine hinlängliche Quanti=
tät Pulver enthielten, um damit gute Resultate zu
erlangen. Diese Bemerkung ist um so treffender,
als man niemals zwei Waffen finden wird, unter
denjenigen von demselben Modell, die einerlei Ein=
dringungskraft, einerlei Tragweite besitzen, auch einer=
lei Kernschuß auf gleiche Entfernung, und dieses
zwar wegen der Verschiedenheit, die in der Qualität
der Metallsubstanz dieser Waffen, wie auch in der
Sorgfalt liegen kann, die man bei'm Bohren, bei'm
Hämmern, bei'm Herrichten, oder bei'm Ziehen der
Läufe angewendet hat.

Die Qualität des Schießpulvers hat großen
Einfluß auf die anzuwendende Quantität, und man
muß derselben Rechnung tragen bei der Verstärkung
der Ladungen. Wenn man die Versuche vergleicht,
welche mit einer gleichen Quantität von Pulver, aber
von Pulver verschiedener Qualität angestellt worden
sind, so wird man folgende Bemerkungen machen:

1) zu schwaches, schlecht gekörntes, feuchtes Pul=
ver, oder solches, welches durch die Wirkung der at=
mosphärischen Agentien verschlechtert worden ist, wird
einen schlaffen und weichen Schuß geben, so daß das

Geschoß, welches weder Kraft noch Tragweite besitzt, bald sich zu senken beginnt;

2) zu starkes Pulver, welches die Gewehre angreift und dessen Entzündung augenblicklich erfolgt, erzeugt eine sowohl für den Schuß, als für die Waffe nachtheilige Erschütterung, so daß, ungeachtet der Heftigkeit des Schusses, das Geschoß dennoch weder einen richtigen Flug, noch Eindringungskraft, noch Tragweite besitzt;

3) endlich wird dasjenige Pulver, welches weder zu stark, noch zu schwach ist, und dessen Körnung, Ausgeglichenheit und Zustand der Erhaltung angemessen sind, Resultate gewähren, die in allen Hinsichten jene übertreffen, welche man in den vorhergehenden Fällen erlangt hat.

Bei'm Schießen mit dem Revolver muß man ganz besonders darauf sehen, nicht allein die Quantität der Pulverladung genau abzumessen, sondern sie auch in jeder einzelnen Röhre oder Kammer ganz gleichförmig und in gleicher Höhe zu vertheilen, weil man sich sonst häufigen Täuschungen aussetzen würde.

Die sogenannte Spitzkugel hat Vorzüge vor der runden aus Gründen, deren Würdigung wir der Sachkenntniß des Lesers überlassen.

Wenn man die Kugel mit Zapfen, versehen mit einem Pfropf, anwendet, so ist das Laden der Waffe sehr leicht. Aber mag man nun die Kugel mit dem Finger, oder mittelst eines Ladestockes in die Cylinder einsetzen, so muß dieses auf solche Weise geschehen, daß das Pulver nicht allzusehr zusammengedrückt werde. Was den Pfropf anlangt, so muß derselbe so beschaffen sein, daß man ihn mit sanfter

Schauplatz, 222. Bd   12

178

Reibung und unter schwachem Widerstande nieder=
schieben kann. Hätte der Pfropf einen zu kleinen
Durchmesser, so würde sich das Pulver zwischen den
Pfropf und die Wandungen der Röhre setzen; wäre
sein Durchmesser zu stark, so würde er nicht bis auf
das Pulver hinabgeschoben werden können, oder er
würde wohl auch der Ausdehnung der Gase zu gro=
ßen Widerstand entgegensetzen. In dem einen wie
in dem andern Falle würde nur ein immer mangel=
hafter Schuß, der sogar für den Schützen unter Um=
ständen gefährlich werden könnte, die nothwendige
Folge sein.

Wenn man keine Zapfenkugeln anwendet und
das Geschoß nicht gewaltsam in den Cylinder hin=
abtreibt, so muß man nothwendig einen zweiten
Pfropf aufsetzen, um das Geschoß an seiner Stelle
zu erhalten.

Was nun die Stärke des Geschosses anlangt,
so brauchen wir, da wir uns bloß mit Waffen von
gezogenen und nicht von glatten Läufen beschäftigen,
dem Spielraume der Kugel keine Rechnung zu tra=
gen. Wir stellen deßhalb die Regel auf: das Ge=
schoß muß, wenn es eine der Röhren der Trommel
verläßt, leicht in den Lauf übertreten können, in der
Art jedoch, daß es sich in die Züge desselben setzt.
Wäre das Geschoß zu stark, so würde es einen hef=
tigen Stoß gegen die hintere Laufmündung erzeugen,
und beträchtliche Erschütterung in der Waffe und da=
durch ansehnliche Abweichungen im Schießen würden
die Folge davon sein. Wäre das Geschoß zu schwach,
d. h., schlotterte es im Laufe, so würde es über die
Züge hinweggleiten und durch zahlreiches Anschlagen
an den inneren Wandungen des Laufes seine Form

verlieren, zum großen Nachtheil der Richtigkeit des Schusses, wie auch der Tragweite.

Wenn die Kammern des Cylinders keine Ausladung haben, muß man es vermeiden, die Kugeln so stark niederzutreiben, daß dadurch das Pulver zerkleinert wird, indem man dadurch dem Schusse viel von seiner Triebkraft entzieht. Aus dem entgegengesetzten Grunde muß das Geschoß eine so gesicherte Lage erhalten, daß es im Laufe nicht schlottern kann, indem sonst durch den Transport der Waffe ein ähnliches Resultat als das eben angedeutete, herbeigeführt werden würde.

Es ist von Belang, daß das ʒnei, dessen man sich bedient, eine gleichförmige Dichtigkeit und Ausgeglichenheit habe, damit der Mittelpunct der Schwere des Geschosses mit dem Mittelpuncte der Gestalt, oder des Volumens zusammenfalle.

Die Kugeln müssen mit Sorgfalt gegossen werden, um hohle Räume in denselben zu vermeiden, und auch auf einmal, damit sie gehörigen Zusammenhang besitzen. Wenn sie leere Räume enthalten, oder wenn sie während ihres Fluges in Stücke zerfallen, so verrückt sich der Mittelpunct der Schwere, die drehende Bewegung verändert sich, und ihre Flugbahn wird in eine unregelmäßige Curve umgewandelt, woraus unregelmäßige und fehlerhafte Schüsse entstehen.

Endlich erlauben wir uns noch die Bemerkung, daß, wenn es bei'm Schießen von Wichtigkeit ist, gute Zündhütchen anzuwenden, dieses ganz besonders auf das Schießen mit dem Revolver Anwendung leidet. Ein Versager könnte unserem Gegner Zeit geben, uns zu tödten. Man wende also immer Zünd-

12*

hütchen erster Qualität an, zu denen unter anderen
diejenigen des Hauses Gevelot zu Paris gehören.
Wir bedauern, hier bemerken zu müssen, daß die in
Belgien fabricirten Zündhütchen in der Regel von
schlechter Qualität sind.

Die Handhabung des Revolver's.

Die Handhabung des Revolver's begreift verschiedene Unterabtheilungen, welche wir der Reihe
nach in folgender Ordnung kennen lernen wollen:
1) das Visiren; 2) die Art und Weise, den Revolver zu halten; 3) die Art und der Augenblick des
Abfeuerns; 4) die allgemeinen Bemerkungen über
das Schießen mit dem Revolver; 5) die Bemerkungen über die Ausrüstung, welche die Anwendung
des Revolver's erfordert.

Vom Visiren. — Visiren heißt, seine Waffe
in die Richtung des zu treffenden Gegenstandes bringen. Man visirt richtig, oder der Schuß ist
gut visirt, wenn das Geschoß das Ziel trifft; in
dem entgegengesetzten Falle, wenn nämlich die Waffe
gut geladen, gut hergerichtet und mit einem richtigen
Korn versehen war, hat man schlecht visirt.

Bei'm Schießen auf große Entfernungen und
mit Waffen von großer Tragweite wird das Visiren
durch eine Menge von Erwägungen complicirt, mit
denen wir uns hier nicht zu beschäftigen haben.
Bei'm Schießen mit dem Revolver beschränkt sich
Alles fast nur darauf, daß man schnell zu zielen, d.
h. mit Geschwindigkeit den Visireinschnitt und das
Korn auf die Visirlinie zu bringen versteht.

Wenn man auf kurze Entfernungen schießt, wie dieses bei der Anwendung des Revolver's fast immer der Fall ist, so fallen die Schießlinie und die Visirlinie so zu sagen zusammen; wenn nun die Krümmung der Flugbahn durch die Kenntniß der Tragweite der Waffen bestimmt ist, so wird man, wenn man die Entfernungen zu schätzen versteht, wissen, ob man einen Kernschuß zu thun hat und folglich bei welcher Gelegenheit man über, oder unter das Ziel zu visiren hat.

Das Visiren bewerkstelligt man auf folgende Weise: man hebt die Waffe so viel wie möglich horizontal in der Richtnng des Zieles; man bringt das Visir in die Visirlinie, während man nur kurze Zeit mit dem Korn unter dem Gegenstande verweilt, auf welchen man visirt, und sodann das Korn auch auf die Visirlinie bringt. Diese Methode gestattet, immer den Gegenstand, auf welchen man visirt, zu erkennen, ihn am Ende seines Laufes zu erhalten, ihn mit dem Auge zu verfolgen, in dem Falle, daß er den Ort verändern sollte, und den günstigen Augenblick zum Abschießen zu ergreifen. Will man dagegen das Korn zuerst auf die Visirlinie bringen, so läuft man Gefahr, die Waffe zu senken und die Richtung zu verlieren, während man das Visir in die gewünschte Höhe erhebt.

Um gut zu visiren, ist es eine wesentliche Bedingung, sich daran zu gewöhnen, den Revolver horizontal zu halten; außerdem muß man sich befleißigen, das Visir rasch zu rectificiren, so daß man nämlich rasch das Visir und das Korn auf die Visirlinie zu bringen versteht. Es kann dem Schützen nicht genugsam empfohlen werden, sich häufig mit dieser Uebung sowohl im Freien, als in seiner Behausung zu beschäftigen, denn dieses ist das einzige Mittel, seine Waffe so richten zu lernen, daß in dem Augenblick, wo man zum Abfeuern den Arm ausstreckt, das Korn und das Visir sich schon auf der Visirlinie befinden.

Viele Schützen haben die üble Gewohnheit, vor dem Schießen die Waffe emporzuheben, alsdann zum Visiren sie herabsinken zu lassen. Wir tadeln dieses Verfahren auf's Nachdrücklichste. Es ist z. B. bekannt, daß in einem Schießstande, wo man mit Andern plaudert, wo man die Lage verändert, oder wo man sich umkehrt, um mit Personen der Umgebung zu sprechen, man während der Zwischenräume des Schießens das Ende des Laufes in die Luft zu halten genöthigt ist; sobald man sich aber fertig macht, um abzuschießen, muß man den Revolver wiederum in eine solche Lage bringen, daß derselbe zum Visiren gehoben werden muß. Die Bewegung von Oben nach Unten hat zur Folge, daß man zu tief schießt, weil es schwierig ist, zu rechter Zeit der Bewegung des Armes Einhalt zu thun und weil das Gewicht der Waffe schon ein Senken derselben herbeiführt. Die Bewegung des Armes nach Aufwärts ist leichter zu reguliren; nichtsdestoweniger darf man sie nicht zu rasch oder heftig ausführen, denn man würde sonst in den entgegengesetzten Fehler verfallen. Jeder Mann, welcher mit einem Revolver bewaffnet ist, muß also, mag er sich nun vor der feindlichen Fronte, oder einem, oder mehren Gegnern gegenüber befinden, sich sorgfältig hüten, die Waffe niederwärts zu bewegen; im Gegentheil muß er sie, um Feuer zu geben, emporheben.

Von der Art und Weise, den Revolver zu halten. — Es giebt zweierlei Arten, den Revolver zu halten;

je nachdem man ihn zum Scheibenschießen, oder als Waffe im Kampfe braucht.

Wenn der Schütze es nur mit einem einzigen Gegner zu thun hat, oder hinlängliche Zeit zu haben glaubt, um bei jedem Schusse genaues Visir, wie bei'm Scheibenschießen, zu nehmen, so kann er die Grundsätze etwas modificiren, die wir jetzt angeben wollen und welche diejenigen des Kampfes sind.

Der Griff des Revolver's muß in der hohlen rechten Hand liegen und hier horizontal gehalten werden. Der Cavallerist muß ein Wenig die Hand mit dem Zügel emporheben und sie dem Körper nähern, um die Zügel zu verkürzen. Dabei muß er mit den Schenkeln fest schließen, so daß er sein Pferd völlig in der Gewalt hat; er muß die Waffe mit fester und kräftiger Hand, jedoch ohne Steifheit halten, indem die Finger und die innere Fläche der Hand gleichzeitig einen mäßigen Druck gegen die Schäftung ausüben; der Arm muß ohne Anstrengung gestreckt, das Handgelenk gesichert und die Bewegungen desselben von der Schulter an ausgeübt werden; der Zeigefinger muß auf den Bügel gestreckt werden, so daß er hinlängliche Beweglichkeit behält, um sich sanft im gewünschten Augenblick auf den Abzug zu legen und außer demselben mit dem zweiten Gelenk einen allmähligen Druck auszuüben; der Daumen liegt oben auf der Schäftung, und die drei andern Finger umschließen den Griff von Unten her, so daß sie sich mit der hohlen Hand vereinigen.

In dieser Lage kann nun der geringste Seiten-sprung des Pferdes für den Reiter, oder für das Thier selbst unglückliche Folgen herbeiführen, und es ist deßhalb von Belang, daß der Reiter diese Un-

glücksfälle verhüte, indem er von den Hülsen
Gebrauch macht, welche ihm die Reitkunst ge-
lehrt hat.

Wurde die Waffe geneigt gehalten und war sie
nicht ganz horizontal, so ist ein Fehlschuß die Folge
davon.

Wurde die Waffe nicht mit Festigkeit gehalten,
war der Arm nicht gespannt, war das Handgelenk
nicht gesichert, erfolgten die Bewegungen der Hand
vom Handgelenk aus und nicht von der Schulter,
so hat man folgendes Ergebniß: für den Fall, daß
man auf einen Gegner losdrückt, wird die Waffe
schwanken; ist man zu Pferde, so werden die Bewegungen des Letztern die Waffe aus ihrer Richtung
abweichen lassen; wenn man endlich mehre Schüsse
in kurzen Zwischenräumen nacheinander zu Fuße, oder
zu Pferde, während der Ruhe, oder während des
Gehens thut, so wird die Waffe jedesmal von der
Visirlinie abweichen, so daß man viel Zeit verliert,
ehe man ein richtiges Visir bekommt.

Wenn man Steifigkeit in der Spannung der
Finger oder in derjenigen des Handgelenkes anwenden wollte, so würden die Gelenke bald ermüden,
und es würde sich auch ein nervöses Zittern einstel-
len, was der Richtigkeit des Schusses großen Schaden thun müßte.

Wenn der Zeigefinger nicht seine Geschmeidigkeit behält, ist man nicht allein der Gefahr ausgesetzt, zu übereilt Feuer zu geben, sondern es entsteht
auch leicht das sogenannte Fingerzucken, eine Bewegung, deren Wirkung sich ebenso gut im Finger-
gelenk, als im Handgelenk fühlbar macht, wodurch
eine Erschütterung der Waffe entsteht.

Wenn man den Zeigefinger so legt, daß der Abzug auf das erste Gelenk zu liegen kommt, so hat man nicht hinlängliche Kraft, um den Abzug loszudrücken, ohne die Hand in Bewegung zu setzen; wenn man zum Unterstützungspuncte das eine oder das andere Gelenk der zwei ersten Phalangen anwendet, so sind die Beugesehnen nicht im Stande, den gewünschten Druck ohne Zucken auszuführen.

Wenn endlich der Schütze (er sei nun zu Fuße im Zustande der Ruhe, oder zu Pferde) sich hinlängliche Zeit nehmen kann, um sicherer zu visiren, so ist es am Zweckmäßigsten, wenn der Arm halb gestreckt ist, wenn die Schulter keine Wirkung auf die Bewegungen der Hand ausübt, und wenn das Spiel des Handgelenks frei, geschmeidig und kräftig ist, Alles Bedingungen, welche ein richtiges Visiren und einen guten Schuß begünstigen.

Von der Position des Schützen. — Wenn sich der Schütz zu Pferde befindet, so muß er sich in den Steigbügeln erheben und den Obertheil des Körpers schwach nach Vorwärts bewegen, wenn er im Begriff zu visiren ist, was seine Bewegungen erleichtern und seiner Stellung Leichtigkeit geben wird. Indessen muß er sich hüten, diese Vorschriften allzurasch auszuführen, denn dann würde die Neigung des Körpers auch diejenige des Armes zur Folge haben, und der Schuß würde das Ziel verfehlen.

Befindet sich der Schütz zu Fuße und wird er nur von einem einzigen Gegner angegriffen, so muß er sogleich anhalten und folgende Stellung annehmen, wie man sie bei'm Schießen nach der Scheibe anzuwenden pflegt: er muß sich, die Augen auf den Feind geheftet, demselben gegenüber aufstellen, die

Schultern müssen halb eingezogen sein, der Körper muß senkrecht auf den Hüften ruhen, der Kopf muß gehoben, die Stellung leicht, der Oberkörper gerade, die Fußgelenke gespannt und ohne Steifigkeit, die Füße 30 Centimeter von einander entfernt und mit= einander einen rechten Winkel bildend, endlich die linke Hand, wenn sie frei ist, auf die Hüfte gestützt sein, um der Position des Körpers Festigkeit zu ge= ben. So hebt man endlich die Waffe, während der Arm halbausgestreckt ist und das Handgelenk eine große Geschmeidigkeit behält.

Sollte der Schütze von mehren Gegnern zugleich angegriffen werden, so würde seine Position folgende sein: der Obertheil des Körpers ein Wenig nach Vorwärts geneigt und unterstützt, die Füße bilden einen rechten Winkel miteinander, während sie 50 Centimeter von einander entfernt sind; das linke Kniegelenk ist gestreckt, das rechte halb gebogen, so daß das Gewicht des Körpers auf der rechten Seite ruht. In dieser gesicherten Stellung erhebt er die Waffe mit gestrecktem Arme; die Bewegungen der Hand, welche die Waffen hält, gehen von der Schul= ter und nicht vom Handgelenke aus. So berichtigt er nun rasch das Visiren bei jedem Schusse.

Sollte ihn der Feind von Vorn angreifen, so kann der Schütze diese Position, während der ganzen Zeit seines Feuerns, beibehalten, denn die einzige Bewegung des Armes kann die Richtung des Laufes einen Kreisbogen von hinlänglicher Ausbreitung durchlaufen lassen. Dieses würde indessen nicht der Fall sein, wenn er von mehren Seiten auf einmal angegriffen würde.

Wenn sich der Feind auch auf der linken Seite zeigte, so hätte der Schütze bloß die Spitze der Füße

ein Wenig nach Einwärts zu wenden, und dieses
würde ausreichen, um seine Schüsse nun nach Links
richten zu können, ohne seine Stelle zu verlassen.

Sollte der Feind zugleich auch von Hinten angreifen, so hätte sich der Schütze auf seinen beiden
Fersen zu drehen, um nach Rückwärts Front zu machen, indem er dabei die Kniegelenke wie vorher,
das eine gestreckt, das andere gebeugt erhält, um die
Position seines Körpers so wenig wie möglich zu
stören.

Wenn endlich der Feind, nachdem er von Vorn
angegriffen, seinen Angriff auf der rechten Seite
wiederholte, so brauchte der Schütze bloß auf der
rechten Ferse sich zu drehen, den linken Schenkel gehoben, worauf er sodann den linken Fuß flach und
rechtwinklich hinter den rechten und in der oben angegebenen Entfernung aufstellt.

Bei diesen verschiedenen Bewegungen der Drehung, um gegen den angreifenden Feind Front zu
machen, muß man darauf sehen, den Körper nicht
zu lebhaft und hitzig in die neue Richtung zu versetzen, denn sonst zieht die Schulter den Arm nach
sich, was dem Schießen sehr nachtheilig ist.

**Von der Art und Weise und dem Augenblicke des
Abfeuerns.** — Es giebt zwei Dinge, welche einem
richtigen Schuß und besonders demjenigen mit dem
Revolver nachtheilig sind, und dieses sind die Gemüthsbewegung und das Athmen.

Wenn der Schütze im Augenblicke des Kampfes
seiner nicht mächtig ist (und dieses kann dem Ta-
pfersten begegnen, wenn er nicht hinlänglich im Feuer
exercirt ist), so verräth sich seine Gemüthsbewegung

entweder durch eine Contraction, oder durch eine ner-
vöse Expansion, woraus eine gewisse convulsivische
Thätigkeit hervorgeht, die dahin wirkt, den Arm zu
bewegen und folglich die Hand, welche die Waffe
hält, aus ihrer Lage verrückt. Ebenso ertheilt der
Athmungsact durch die beständige Wiederkehr des
Einathmens und Ausstoßens der Luft den Einge-
weiden der Brust eine abwechselnde Bewegung, die
sich den andern Theilen des Körpers, namentlich den
Schultern und den Armen, mittheilt. Es muß sich
deßhalb nicht allein der Schütze bemühen, Kaltblü-
tigkeit zu erwerben, sondern er muß sich auch gewöhnen, während der kurzen Zeit zwischen dem Ein-
athmen und Ausathmen abzufeuern, oder auch seinen Athem zurückzuhalten, sobald er vorhersieht, daß
dieses nothwendig werden wird.

Er muß auch die Gewandtheit sich zu eigen
machen, immer richtig zu visiren und zu schießen,
wie rasch auch das Schießen erfolgen möge. Für
diesen Zweck muß der Druck auf den Abzug, der
allmählig Statt zu finden und sich mit der Respi-
ration zu verbinden hat, auf solche Weise ausgeübt
werden, daß der Schuß genau in dem Augenblicke
losgeht, wo das Korn in die Visirlinie gelangt, indem der Arm gewöhnlich sehr bald müde wird.

Wenn man mit einem Revolver mit Judica-
tionsvisir versehen ist, so bringt es keinen Nachtheil, den Hahn oder den Percussionshammer in
die Ruhrast zu bringen, ehe man das Visiren berichtigt hat; aber sobald sich das Korn in der Visirlinie befindet, muß man Feuer geben, der Feind
müßte denn zu entfernt sein, und man müßte genöthigt sein, abzuwarten, bis er besser zum Schuß
kommt.

Wenn ein Schütze von mehren Gegnern auf
einmal angegriffen wird, so muß er bei Zeiten das
Abfeuern beginnen, um sich von ihnen zu befreien,
bevor sie ihm zu nahe kommen. Dennoch aber darf
er nicht in so große Entfernungen oder zu übereilt
schießen, denn dadurch würde er sich schrecklichen Täuschungen aussetzen, und es tritt auch hier der Fall
ein, wo das Sprüchwort: „Eile mit Weile" seine
volle Geltung hat.

Wenn der Feind angreift, indem er von Vorn
naht und bei einem offenen Terrain, so fasse man
ihn erst dann auf's Visir, wenn er in angemessene
Entfernung gelangt ist, und gebe dann auf ihn Feuer.
Sollte er sich längs der Fronte des Schützen bewegen, so nehme man ihn von der Seite, erwarte
ihn an einem bestimmten Puncte und gebe auf ihn
Feuer, sobald er denselben erreicht hat.

Hat man auf eine Cavallerielinie zu schießen,
die im Galopp herankommt, so schieße man niedrig
und der Feind wird sich dann gewissermaßen auf
die Kugeln stürzen. Kehrt der Feind den Rücken, so
visire man hoch und die Kugeln werden ihn auf
der Flucht erreichen. Unter diesen Umständen darf
man sich indessen nicht zu sehr von den Regeln entfernen, welche bei jeder Art des Schießens die größere oder geringere Entfernung jenseits oder dieszeits
des Kernschusses betreffen.

Wenn man im Galopp Feuer geben muß (im
Trabe sollte man, wegen der harten Bewegungen des
Pferdes bei dieser Gangart, nicht abfeuern), so muß
man sich zuerst bemühen, das Pferd dahin zu bringen, daß es nicht auseinander ist. Wenn sodann
seine Bewegungen mit einer gewissen gleichförmigen

Intensität und mit der regelmäßigen Spannung der
Locomotionsfedern Statt finden, so erhebt man den
Revolver bis zur Höhe des Auges, indem man den
Hahn in der Spannrast erhält; aber man darf nicht
eher losschießen, als bis in dem Augenblicke, wo
das Pferd auf seine Hinterbeine gelangt und, durch
seine Sprungkraft gestützt, in dem Momente sich befindet, seine Vorderbeine auszustrecken.

Endlich wollen wir noch diesen letzten Rath
hinzufügen: wenn man auf eine Schlachtlinie schießt,
so muß man mehr die Höhe des Schusses, als seine
Richtung im Auge haben; und wenn man Feuer
giebt, während man sich selbst längs einer feindlichen
Fronte bewegt, so muß man seitwärts schießen, wodurch man größere Aussicht auf Erfolg hat und
wodurch auch der Reiter in den Stand gesetzt ist,
eine gute Position zu Pferde zu behalten.

**Allgemeine Bemerkungen über das Schießen mit dem
Revolver.** — Die Handhabung des Revolver's erheischt unter den Truppen viele Praxis von Seiten
des Reiters und ganz besondere Aufmerksamkeit von
Seiten der instruirenden Officiere. Da indessen diese
Waffe äußerst wichtige Dienste zu leisten vermag, so
darf man sich von einem Zuwachs militärischer In-
struction nicht ermüden lassen. Das Schießen mit
der Pistole war wenigstens bis jetzt in Frankreich
sehr vernachlässigt.

Sollte der Revolver in Aufnahme kommen, so
würde es sehr Noth thun, sich mit der Handhabung
dieser Waffe und mit dem Schießen mehr zu beschäftigen, als es bis jetzt mit der Cavalleriepistole
der Fall gewesen ist.

Wir wünschten, daß der Reiter, nachdem er zu
Fuße den Revolver zu handhaben gelernt hat, auch
Anleitung erhielte, denselben zu Pferde zu handhaben. Zuerst müßten die Zündkegel mit künstlichen
Zündhütchen aus vulkanisirter Guttapercha versehen
werden, um weder den Hähnen, noch den Zündkegeln
Nachtheil zu bringen; dann setzt man wirkliche Zündhütchen auf; hierauf ladet man mit bloßen Pulver-
patronen; sodann mit Kugeln in Werg, welches mit
einer Alaunauflösung präparirt wurde, damit sich
das Werg nicht entzünde, wobei man die Richtigkeit
des Schießens eines jeden Reiters ermessen und diejenigen erkennen könnte, welche hinlängliche Ruhe
und hinlängliche Geschicklichkeit erlangt haben, um
zum Schießen mit der Kugel zugelassen zu werden.
Außer diesen verschiedenen Bemerkungen müßte auch
noch eine ziemlich ähnliche Stufenfolge beobachtet
werden, wie wir sie für das Schießen mit der Kugel
in Vorschlag bringen wollen.

Wenn der Reiter bis zum wirklichen Schießen
gelangt ist, dürfte man sich nicht darauf beschränken,
ihn einzeln nach der Scheibe schießen zu lassen, sondern nach jeder Bewegung des Instructionsmanö-
vers müßte man abwechselnd im Peloton eine gewisse Zahl von Leuten bestimmen, welche entweder
zur ersten oder zur zweiten Classe gehören, und man
müßte sie zusammen nach Scheiben schießen lassen,
welche für diesen Zweck aufgestellt wurden, indem
sie sich entweder längs der feindlichen Fronte bewegen, oder derselben gegenüber angreifen. Es versteht
sich von selbst, daß man nach jedem Abfeuern die
Schüsse sorgfältig untersuchte. Endlich müßte man
das Peloton und sodann die Escadron darin üben,
auf Tücher zu schießen, wie dieses auch bei der Artillerie bei'm Schießen mit Kartätschen der Fall ist.

Nachdem die Mannschaften dahin gediehen wären, mehr oder weniger ernste Hindernisse zu überwinden und Schwierigkeiten zu besiegen, ähnlich denen, welche bei'm Kampfe sich darbieten können, müßte man sie, z. B., Gräben und Hecken zu überspringen, die Zufälligkeiten des Terrains zu überwinden und das Knallen der Musketen, sowie dasjenige der Geschütze ec. zu ertragen gewöhnen.

So wird man endlich ein Cavalleriecorps bilden, welches im Stande ist, die Carrés guter Infanterie zu durchbrechen.

Bemerkung über die Ausrüstung, welche die Anwendung des Revolver's nothwendig macht. — In Betreff der Pistole besteht die Ausrüstung des Reiters aus einer Patrontasche, die er am Körper trägt, und aus einem Paar Pistolenhalftern am Sattel.

Die gegenwärtige Patrontasche ist unbequem, denn da sie nicht festsitzt, so schwankt sie bei den lebhaften Gangarten des Pferdes unaufhörlich. Da sie übrigens auf dem Rücken sitzt, so gestattet sie dem Reiter nicht wohl, mit Geschwindigkeit die Patronen herauszunehmen, deren er zum Schießen mit dem Revolver bedarf. Endlich werden die Patronen in Folge der heftigen Bewegungen, denen sie in der Patrontasche ausgesetzt sind, nach einigen Märschen schlechter und lassen das Pulver wie durch ein Sieb durchfallen. Die Patrontasche ist also in der Campagne mehr belästigend, als nützlich.

Der Sattel ist, wie schon bemerkt, mit zwei Pistolenhalftern versehen. Die linke hat die Bestimmung, die Pistole aufzunehmen, und die rechte ein kleines Lagerbeil, was man im Begriff steht, wieder aufzugeben, weil es im Verhältniß zur Beläftigung, die es verurfacht, wenig Nußen bringt. Nun trägt das Gewicht der Piftole und des Beiles, ihre Stöße in den Piftolenhalftern und die Ungleichheit ihrer Schwere, unferes Erachtens, viel dazu bei, das Pferd in den Gangarten des Trabes und des Galopps einen ungleichen Gang annehmen zu laffen, es un= zweckmäßig und unregelmäßig zu ermüden und felbft zu verletzen. Bei fo zahlreichen Uebelftänden möchten wir nun den Vorfchlag machen, die Patrontafche nebft den Piftolenhalftern am Sattel bei der Ca= vallerie wegzulaffen, das Beil, wenn es unentbehr= lich fein follte, wo anders anzubringen und ftatt deffen eine Piftolentafche und eine Tafche für die Patronen einzuführen.

Die Piftolentafche könnte ungefähr der gewöhn= lichen Piftolenhalfter ähnlich fein und aus einem fehr weichen Leder angefertigt werden; ihre Geftalt müßte an der Seite, wohin der Schaft des Revolver's zu liegen kommt, ein Wenig ausgefchnitten fein; endlich müßte fie mit einer folchen Decke verfehen fein, daß die Waffe gegen den Regen gefchützt wird.

Diefe Ausrüftung müßte auf der linken Seite an und in der Höhe der Bruft getragen werden, da= mit die rechte Hand den Revolver leicht ergreifen könne. Auf der rechten Schulter würde fie als ein Ban= delier mit Hülfe eines fehr gefchmeidigen Riemens hängen und man würde mittelft eines doppelten Riemens, in Geftalt eines Gürtels, das Schwan= ten verhüten. Diefer Gürtel würde auch dazu die= nen, eine Patronentafche von ähnlicher Art, wie die Piftolentafche, an der Bruft feftzuhalten. Die Patronentafche würde an der rechten Seite getragen und hinge mittelst eines Bandeliers auf der linken Schulter.

Auf diese Weise sind die Orientalen, die Araber in Algier, die französischen Spahis ausgerüstet. Wir haben häufig Cavallerieofficiere, welche zur afrikani= schen Armee gehörten, und selbst Officiere anderer Corps gesehen, welche von dieser Art Pistolentasche und Patronentasche Gebrauch machten. Der Ca= valleriesäbel ist bekanntlich in den Händen eines Cavalleristen zu Fuße nur ein schwaches Mittel der Vertheidigung oder des Angriffes. Man gebe aber dem Cavalleristen diese Pistolentasche mit dem Re= volver, und er wird alsdann, wenn er vom Pferde abgestiegen ist, nicht mehr in die Nothwendigkeit sich versetzt sehen, zu den Nichtcombattanten zu zählen.

Bei'm Verleger dieses sind erschienen und in allen Buchhandlungen zu haben:

Panot, die St. Omer'sche

Schießschule

oder das Militärschießgewehr in seiner wichtigen Bedeutung für den Soldaten. Eine umfassende Abhandlung über die Schießkunst, nebst einer instructiven Anweisung über die zweckmäßige Behandlung des Schießgewehrs und den dienstlichen Gebrauch desselben nach den Vorträgen des Lieutenant Panot in der Ecole de tir zu St. Omer. Ins Deutsche übertragen von Dr. Chr. H. Schmidt. Zweite, um 3¼ Bogen Text und 30 Figuren vermehrte Auflage. Geheftet. 1 Thlr. 10 Sgr.

Wenn obiges wichtige Werk schon in erster Auflage die Aufmerksamkeit der deutschen Militärzeitungen und vieler deutschen Officiere erregt hat, so dürfte es in dieser zweiten besonders durch die hinzugekommenen sehr interessanten Aufschlüsse über die neuesten Fortschritte der preußischen Zündnadelgewehre, über die gezogenen Thouvenin'schen und Minié's Gewehre, welchen letztern man bei der englischen Armee den Vorzug gab, die neueste Gießform der Spitzkugeln und das Verfahren bei der Militär-Gewehrfabrication in Oesterreich zum Auslaugen der Schäfte durch Dampf für die Kriegswissenschaft noch mehr von größter Wichtigkeit sein.

Journal

für Büchsenmacher und Gewehrfabricanten.

Bd. I. Heft 1s 15. Sgr. 2s 11¼ Sgr. 3s 11¼ Sgr. 4s 15 Sgr. 5s 17½ Sgr. 6s 7½ Sgr. (zusammen 2 Thlr. 17½ Sgr.) Band II. Heft 1s 10 Sgr. 2s 13¼ Sgr. 3s 11¼ Sgr. 4s 18¼ Sgr. 5s 18¼ Sgr. 6s 17½ Sgr. (zusammen 3 Thlr.) Band III. Heft 1s

8¼ Sgr. 2ß 12¼ Sgr. 3ß 11¼ Sgr. 4ß 11¼ Sgr.
5ß 10 Sgr. In zwanglos. Heften. (Wird fortgesetzt.)

C. Martin, (Büchsenmacher zu Weimar),

practisches Modellbuch

für Büchsenmacher, Gewehrfabricanten und Jagdlieb=
haber, enthaltend eine den Fortschritten der jetzigen
Zeit angemessene Mustersammlung der neuesten Zünd=
nadel=Doppelflinten, Zündnadel=Dischings, Zünd=
hütchen=Dischings mit sechs= und zehnfacher Füllung,
Zündnadel=Pistolen, Bürschbüchsen, von hinten zu
ladenden Doppelflinten, Prager Kastenflinten u. s. w.,
die alle, sowohl im Ganzen als in ihren einzelnen
Theilen, so gezeichnet sind, daß jeder practische Ar=
beiter darnach arbeiten kann. Bestehend in 32 Ta=
feln und einem erklärenden Text. Groß Folio in
Enveloppe. 2½ Thlr.

Die Zeitung für Büchsenmacher ꝛc. I. 1, sagt: „Gewehr=
und Jagdliebhaber finden in diesem Modellbuche die interes=
sante Sammlung der neuesten Gewehre aller Art höchst voll=
ständig und deutlich beschrieben, und durch gut ausgeführte
Zeichnungen in allen ihren einzelnen Theilen auf's Deutlichste
erläutert. Sie sind dadurch in den Stand gesetzt, sich von den
in diesem Modellbuche beschriebenen Gewehren eine klare Vor=
stellung zu machen, und Büchsenmacher können nach den in
natürlicher Größe ausgeführten Zeichnungen sehr bequem ar=
beiten, weßhalb es beiden Theilen eine willkommene Erscheinung
sein wird. C. Robert." — Die Zeitschrift für Mechaniker ꝛc. I.
1, sagt: „Der Herr Verfasser, ein in seinem Fache durch und
durch gebildeter Mann, der Gelegenheit hat, das Neueste und
Beste darin kennen zu lernen, theilt hier Muster mit, nach de=
nen ein Jeder arbeiten kann. Modelle, die sich durch Brauch=
barkeit und Schönheit auszeichnen. Jemehr es nun an einem
solchen Werke fehlte, aus welchem jeder Büchsenmacher und Ge=
wehrfabricant das Neueste und Zweckmäßigste kennen lernen
kann und der Jagdliebhaber im Stande ist, eine zweckmäßige

Auswahl bei der Anschaffung von Gewehren zu treffen, um so eher müssen wir auch dem Herrn Verfasser Dank sagen, daß er solch wesentlichem Mangel abgeholfen hat. Der Herr Verleger hat treffliche Abbildungen aus seiner rühmlichst bekannten lithographischen Anstalt geliefert und überhaupt dem Werke ein Aeußeres gegeben, daß es das Zimmer jedes die nobeln Passionen und daher auch die Jagd liebenden Gentlemans zieren wird. Möge das Werk daher den Beifall finden, den es so sehr verdient."

Ein Blick auf dieses wahre Prachtwerk reicht hin, in ihm einen wesentlichen Fortschritt dieses Gewerbes zu erkennen, welches kein Büchsenmacher und Gewehrfabricant, ohne sich selbst zu schaden, entbehren kann. Aber auch die Zeichnungen, die Lithographie, der Druck und das herrliche Papier wetteifern an Schönheit und machen das Ganze zu einem stattlichen Cabinetstücke.

J. Schmidt (Büchsenmacher in Güstrow),
Beiträge zur Kenntniß der
Büchsenmacherkunst
und zur richtigen Beurtheilung der Schießgewehre. Auf vieljährige praktische Erfahrung gegründet und Geschäftsgenossen und allen Jagd= und Gewehrliebhabern mitgetheilt. Mit 10 Kupfertafeln in Plano und Folio. 8. 1¼ Thlr.

Die Berliner polytechn. Zeitung 1843, Nr. 6, sagt: „Wir heben diese Schrift hervor, weil sie viele willkommene Nachweisungen und Andeutungen giebt, und weil sie sich vor andern Werken über Büchsenmacherei besonders durch selbst gemachte practische Erfahrungen und verständlichen Styl auszeichnet. Auch die Abbildungen sind sehr deutlich und lobenswerth und bringen besonders über Verzierung bei der Schäftung und Garnirung viel Neues und Empfehlenswerthes." — Das Berliner Gewerbe=, Industrie= und Handelsblatt 7. Bd. (1843) Nr. 5, sagt: „Außer dem aus dem Englischen übersetzten Greener'schen Werke hat man bisher noch keine umfassendere Schrift über die Gewehrfabrication gehabt, und ist es daher dem Verfasser des vorliegenden Buches nur Dank zu wissen, wenn er seine langjährigen practischen Erfahrungen in einer einfachen und anspruchlosen Diction leicht faßlich vorträgt. Das ganze Werk beurkundet den erfahrenen Büchsenmacher, der über seine Kunst reiflich nachgedacht hat und die Theorie mit der Praxis zu verbinden weiß. Die beigefügten Zeichnungen sind alle nach Gewehren gefertigt, welche aus der Hand des Meisters selbst hervorgingen; die Ausführung derselben ist sauber und correct." — Der deutsche Waidmann, Zeitschrift von Hellrung 1843, Nr. 51, theilt als besonders lehrreich lange Auszüge aus dieser Schrift mit und sagt: „Dieses Buch darf keinem Jäger fehlen. Bei den herrlichen Anschauungen, welche die prächtigen Gewehrabbildungen gewähren, sind sowohl die Vorzüge als Fehler einer Waffe darnach leicht zu erkennen. Die ganze deutsche Literatur besitzt kein Werk wie dieses." — Die Zeitung für Büchsenmacher ⁊c. I. 1. sagt. „In dieser Schrift verbreitet sich ein Mann von Fach und Erfahrung über die wichtigsten Theile der Büchsenmacherkunst. Nach seiner Ansicht besitzt Deutschland noch kein Werk über die Büchsenmacherkunst, das mit der Höhe des Gewerbes auf gleicher Stufe stände und insonderheit für den practischen Arbeiter brauchbar wäre; obschon ein solches nicht anders als erwünscht sein könnte.

***

C. F. G. Thon,

vollständige

Anweisung zum Schießen

mit der Büchse, Flinte und mit Pistolen, sowohl auf dem Schützenhofe, als auf der Jagd und im Felddienste. Ein nothwendiges Handbuch für Jäger, Schützen und Officiere, welche ihre Gewehre kennen, richtig beurtheilen, gehörig behandeln, zweckmäßig erhalten und damit in möglichst kürzester Zeit trefflich schießen lernen wollen. Zweite, stark vermehrte und verbesserte Auflage. 8. 1½ Thlr.

Die Jen. Literaturztg. 1829, Nr. 14, sagt: „Man kann den Unterricht, welchen der Anfänger in diesem Buche erhält, vollständig nennen und dasselbe bestens empfehlen."

Die erste starke Auflage vergriff sich binnen 10 Monaten, was jedem Liebhaber die Brauchbarkeit dieser Schrift wohl hinreichend verbürgt. Die zweite ist durch bedeutende Verbesserungen und starke Vermehrungen so umgestaltet, daß sie der ersten kaum mehr ähnlich sieht. Der Preis ist nicht erhöhet worden, obgleich sich die Bogenzahl vermehrt und die Schrift in dieser Gestalt auch den Vorzug erhalten hat, daß sie jetzt auch höchst lehrreich und brauchbar für den Militärstand durch die Behandlung des Gewehrs im Felddienste geworden ist.

Ch. Millére (franz. Hauptmann),
Lectionen im Pistolenschießen.
Mit 1 Kupfer. 8. ⅛ Thlr.

Der Verfasser war mehre Jahre lang Vorsteher einer Schießschule in Marseille und sein Büchlein wird daher jungen Militärs, Ritteracademien, Liebhabern u. s. w. gute Dienste leisten.

C. F. G. Thon,
der vollkommene
Jagd- und Scheibenschütze,

oder Anleitung, sich in kurzer Zeit mit Sicherheit zu einem trefflichen Schützen, sowohl auf der Jagd, als auch auf dem Scheibenstande auszubilden; nebst der Kenntniß vom Schießgewehre, dessen Gebrauch, Behandlung, Ladung, Reinigung, den Pulverproben und andern dahin gehörenden nothwendigen Gegenständen. Ein gründlicher, zuverlässiger, auf langjährig selbsterprobter Erfahrung gestützter Rathgeber für Jäger, Jagdliebhaber und Schießfreunde. 12. broch. ⅞ Thlr.

Die Hannöversche Jägerzeitung „Der Waidmann" genannt, theilt in ihrer Nr. 75 die ganze interessante Vorrede dieses Büchleins mit und fügt derselben sehr empfehlende Worte bei, z. B. dessen Inhalt gewähre eine klare Uebersicht der Schießkunst und sei sinnig und practisch zusammengestellt. Der Verfasser gebe viele wirkliche Erfahrungssätze, woran dem Jäger am mehrsten gelegen sei. Auf jedem Blatte sehe man, daß der Verfasser ein sehr erfahrener und practischer Schütze sei und sein Büchlein

nicht aus andern zusammengeschrieben habe, denn es enthalte
so beachtenswerthe und wesentliche Winke, wie sie nur ein Prac=
tifer zu geben im Stande sei.

Der Verfasser, seiner Zeit einer der berühmtesten Schützen
seiner Gegend, ist den Liebhabern bereits aus seiner größeren
Anweisung zum Schießen mit Büchse, Flinte und Pistolen
rühmlich bekannt, welche von mehrern kritischen Blättern sehr
belobt wurde und in kurzer Zeit zwei Auflagen erlebte.

W. Greener,

die Geheimnisse der englischen

Gewehrfabrication

und Büchsenmacherkunst, sowie der Erzeugung der
verschiedenen Eisensorten zu den feinsten Jagdgewehren.
Aus dem Engl. übersetzt von D. Ch. H. Schmidt.
Zweite, sorgfältig revidirte und mit einem Anhange
über die Grundsätze und Verfahrungsarten, nach
welchen Militär= und Jagdgewehre in den vorzüg=
lichsten deutschen Gewehrfabriken angefertigt werden,
von dem Uebersetzer vermehrte Auflage. Mit 17 li=
thographirten Tafeln. 8. 1½ Thlr.

Die polytechnische Zeitung 1835, Nr. 51, sagt: „Ein
Hauptzweck des Verfassers war, das Publicum bei den vielen
schlechten Gewehren, welche jetzt verfertigt werden, auf die Er=
kennungsmittel derselben aufmerksam zu machen. Auch findet
man hier gründliche Beschreibung jeder einzelnen Schlosser=,
Schäfter= rc. Arbeit und aus Allem leuchtet die practische Sach=
kenntniß des Verfassers hervor, der selbst Gewehrfabricant ist.
Besonders gut und ganz neu sind die Bemerkungen über Pul=
ver, Schroten, Propfe, Patentpatronen, Zündhütchen u. s. w.
Das Verfahren der berühmten Fabriken in Suhl ist gut und
ausführlich mitgetheilt."

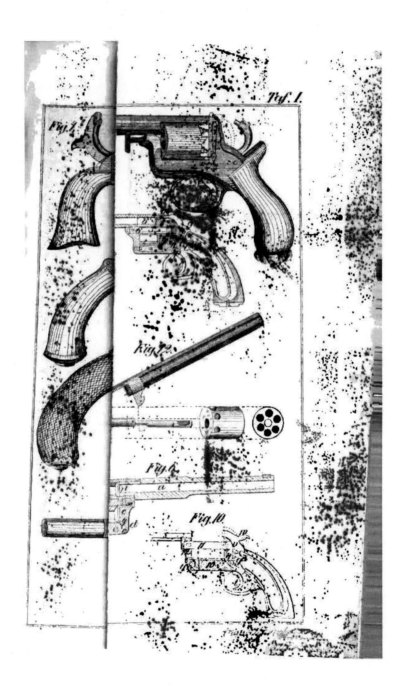